LA PASSION DE L'ENGAGEMENT
D'ANDRÉE FERRETTI
EST LE CENT QUATRE-VINGT-DIX-HUITIÈME OUVRAGE
PUBLIÉ CHEZ
LANCTÔT ÉDITEUR
ET LE SEIZIÈME DE LA COLLECTION
« L'HISTOIRE AU PRÉSENT ».

Autres titres parus dans la même collection

Pierre Bourgault, *La colère. Écrits polémiques*, tome 3

Guy Bouthillier, *L'obsession ethnique*

Le Cercle Gérald-Godin, *Tant que l'indépendance n'est pas faite, elle reste à faire*

Claude Corbo, *Lettre fraternelle, raisonnée et urgente à mes concitoyens immigrants*

André d'Allemagne, *Le presque pays*

Georges Dor, *Anna braillé ène shot (Elle a beaucoup pleuré). Essai sur le langage parlé des Québécois*

Georges Dor, *Chu ben comme chu (Je suis bien comme je suis). Constat d'infraction à l'amiable*

Georges Dor, *Les qui qui et les que que ou le français torturé à la télé. Troisième et dernier essai sur le langage parlé des Québécois*

Georges Dor, *Ta mé tu la? (Ta mère est-elle là?). Un autre essai sur le langage parlé des Québécois*

Andrée Ferretti, *Le Parti québécois: Pour ou contre l'indépendance?*

François-Marc Gagnon, *Chronique du mouvement automatiste québécois, 1941-1954*

Donald Guay, *La conquête du sport*

Robert Lahaise, *Libéralisme sans liberté, 1830-1860*

Robert Lahaise, *Expansion canadienne et repli québécois, 1860-1896*

Robert Lahaise, *Canada-Québec: Entrouverture au monde, 1896-1914*

LA PASSION DE L'ENGAGEMENT

De la même auteure

LE PARTI QUÉBÉCOIS : POUR OU CONTRE L'INDÉPENDANCE, pamphlet, Montréal, Lanctôt éditeur, 1996.

LES GRANDS TEXTES INDÉPENDANTISTES. ÉCRITS, DISCOURS ET MANIFESTES QUÉBÉCOIS, 1774-1992, en collaboration avec Gaston Miron, Montréal, l'Hexagone, 1992.

LA VIE PARTISANE, récits, Montréal, l'Hexagone, 1990.

RENAISSANCE EN PAGANIE, roman, Montréal, l'Hexagone, 1987.

« Le plus complexe à venir », *IN DOUZE ESSAIS SUR L'AVENIR DE LA LANGUE FRANÇAISE*, sous la dir. de Pierre Vadeboncoeur, Conseil de la langue française, Québec, 1984.

Andrée Ferretti

LA PASSION DE L'ENGAGEMENT
1964-2001

LANCTÔT
ÉDITEUR

LANCTÔT ÉDITEUR
1660 A, avenue Ducharme
Outremont (Québec)
H2V 1G7
Tél. : 270.6303
Téléc. : 273.9608
Adresse électronique : lanctotediteur@videotron.ca
Site Internet : www.lanctotediteur.qc.ca

Illustration de la couverture : Daniel Dutil, *Foule un*, sérigraphie, 1976

Mise en pages et couverture : Folio infographie

Distribution :
Prologue
Tél. : (450) 434.0306 ou 1.800.363.2864
Téléc. : (450) 434.2627 ou 1.800.361.8088

Distribution en Europe :
Librairie du Québec
30, rue Gay-Lussac
75005 Paris
France
Téléc.: 43.54.39.15

Nous remercions le ministère du Patrimoine canadien et le Conseil des arts du Canada de l'aide accordée à notre programme de publication. Nous remercions également la SODEC, du ministère de la Culture et des Communications du Québec, de son soutien. Lanctôt éditeur bénéficie du Programme de crédits d'impôt pour l'édition de livres du gouvernement du Québec, géré par la SODEC.

© LANCTÔT ÉDITEUR et Andrée Ferretti, 2002
Dépôt légal – 1er trimestre 2002
Bibliothèque nationale du Québec
ISBN 2-89485-209-6

À mes sœurs engagées et solidaires,
Claudette Bertrand et
France Bertrand

REMERCIEMENTS

Ce livre n'existerait pas sans Michel Martin qui a accompli un patient et rigoureux travail de recherche pour trouver quantité de mes textes que non seulement je n'avais pas conservés, mais dont j'avais même oublié, pour plusieurs, que je les avais écrits. Je veux le remercier pour cet ouvrage qui reconstitue quarante ans de mon intense activité politique, quarante ans de ma vie.

Je remercie également Hélène Pedneault pour avoir sans hésitation accepté de préfacer l'ouvrage qu'elle a manifestement lu d'un œil attentif et sympathique, inspiré par sa générosité coutumière.

Qui ne fait pas l'indépendance, la combat.

GASTON MIRON

Il n'y a pas un peuple qui mérite l'indépendance.
Il y a trois étapes pour arriver à l'indépendance :
premièrement, on la veut ;
deuxièmement, on la fait ;
troisièmement, on l'assume.

VICTOR-LÉVY BEAULIEU

Tout vaut mieux que de se laisser mettre hors de combat
sans combattre.

CHARLES DE GAULLE

Ferretti : une femme libre
dans *l'ivresse des secousses inventives...*

Indépendantiste, féministe, militante, révolutionnaire et intègre : la totale. Ferretti a toujours eu tout pour plaire aux dirigeants, aux possédants et aux instances de n'importe quel parti politique !... Quand elle commence à écrire des articles et des discours pour le RIN, c'est l'authentique militante qui parle, dans toute la noblesse et la force d'engagement du mot, celle qui veut inoculer rien de moins que la nécessité de la révolution dans le sang des Québécoises et des Québécois, trop anémié à son goût.

> ... nous vivons au Québec, depuis la conquête anglaise, dans un état si généralisé de dépendance, qu'il n'y a pas un Québécois, aussi libre qu'il se veuille, qui n'accepte pas comme allant de soi [...] le fractionnement de son être et de ses pouvoirs. À un point tel qu'on peut affirmer, sans risque de se tromper gravement, que le trait culturel caractéristique des Québécois est *leur sentiment de la nécessité de la dépendance*[1].

On dirait qu'elle a toujours su, dans son âme et dans son ventre, que « la servitude abaisse l'homme jusqu'à s'en faire aimer[2] ». C'est donc, en définitive, un patient travail de guérison de tout un peuple qu'elle cherche à accomplir, en militant pour l'indépendance du

---

1. Dans « La Souveraineté-association, ultime effet de notre esprit colonisé », *Le Devoir*, 15 mars 1979. C'est moi qui souligne.
2. Vauvenargues, cité par Jacques Courrière, *Jacques Prévert*, Paris, Gallimard, 2000, p. 517.

Québec avec des milliers d'autres personnes. Chez elle, l'indignation est fierté et santé.

Dans le dictionnaire, au mot *militant*, il est dit : « Quelqu'un qui combat, qui lutte, qui prône l'action directe. » Rien ne rebute la militante Ferretti : recrutement, financement, agitation, affichage, manifestations, distribution de tracts dans la rue, à la porte des usines ou sur les lignes de piquetage durant les nombreuses grèves de l'époque, porte-à-porte, assemblées de cuisine, discours publics, propagande[3], etc. J'imagine bien Ferretti dans une assemblée de cuisine, autour d'une table, en train d'essayer de convaincre avec passion une famille ouvrière de la nécessité de renverser l'ordre établi et du bien-fondé de l'indépendance du Québec. (Il faut garder à l'esprit qu'elle a écrit plus du tiers de ses textes dans un Québec constitué de 91 % de travailleurs, dont près de 70 % gagnaient moins de 4000 $ par année.) Elle écrit, en 1968 : « Ce n'est pas en faisant une croix sur un bulletin de vote que les travailleurs renverseront l'ordre établi. Le réalisme politique, dans la lutte pour la libération d'un peuple, ce n'est pas de chercher les meilleurs moyens de profiter du système, mais de prendre les moyens de le détruire[4]. »

Ferretti vibre comme elle respire. Elle n'a pas besoin d'aller poser des bombes avec le FLQ, elle en est une. Mais sa lutte à elle n'est jamais clandestine. Le jeu de Ferretti est toujours ouvert, elle agit en pleine lumière et tout le monde connaît le fond de sa pensée.

Avec les années, cependant, son écriture change. La militante donne naissance à une penseuse originale, tout aussi passionnée que la première, mais plus structurée, plus nuancée et plus raffinée. Le premier degré de la pure propagande devient analyse, et l'appel à l'action devient aussi réflexion philosophique. Ainsi, graduellement, la penseuse politique donne naissance à une authentique écrivaine,

---

3. Mot qu'on utilisait dans les années soixante sans valeur péjorative, avant qu'il soit connoté si négativement, entre autres à cause des pratiques aberrantes des communistes soviétiques, qu'on l'a banni du vocabulaire jusqu'en 1995, moment où les Québécois l'ont sorti des boules à mites pour qualifier le sale travail de sape du fédéral avant, pendant et depuis le deuxième référendum.
4. Dans « Pour une révolution québécoise », *La Masse*, vol. 1, n° 1, juin 1968.

à celle qui écrira plus tard des œuvres de fiction : *Renaissance en Paganie* (1987) — selon moi un chef-d'œuvre, un des secrets les mieux gardés de la littérature québécoise — et *La vie partisane* (1990).

> Je suis enracinée depuis si longtemps et si profondément dans le Québec de demain que, lorsqu'on me demande d'écrire [...] la société québécoise de mes rêves, je ne puis la penser qu'en termes de projet et non d'utopie. [...] Aussi hardies que paraissent parfois mes idées et démesurées mes aspirations, je suis en effet une femme des possibles, une femme des évidences. Cela explique sans doute qu'au mythe du grand corps indéfini qui [...] étend ses prodigieuses richesses d'un océan à l'autre, j'ai préféré, dès mon enfance, l'enceinte vivante du cœur québécois qui est, je le savais d'instinct, la matière première de mon existence, c'est-à-dire la forme particulière de mon être[5].

Tout Ferretti est résumé là, dans cet extrait de 1980 : la Ferretti fulgurante, amoureuse de sa terre, la Ferretti à l'emporte-pièce, la Ferretti qui fait tellement corps avec son projet que sa vie entière est mobilisée, la Ferretti dont la devise doit être : « C'est possible. Alors faisons-le[6]. » En tout cas, si elle n'a rien pour plaire aux gens de pouvoir, elle a tout pour me plaire à moi, qui ai fait mienne cette devise, probablement en apprenant à marcher...

À cause de mon âge, je suis une enfant du Parti québécois. À sa fondation, en 1968, j'avais seize ans. Dans la belle ignorance intempestive de l'adolescence, je ne savais rien de l'héritage considérable que le PQ avait reçu des fondateurs et des membres du RIN, et des indépendantistes de la première heure. C'est bien après que j'ai su à quel point le RIN avait défriché tout le terrain et pavé une voie royale au PQ. Pour moi, en 1968, l'indépendance du Québec venait d'être inventée par René Lévesque et c'était le plus beau projet qu'on m'avait proposé depuis mon arrivée au monde. Ce n'est qu'après octobre 1970, quand j'ai parcouru la liste des gens empri-

---

5. Dans « Une belle présence au monde », *Possible(s)*, « Projets du pays qui vient », hiver 1980.
6. Dans « Préparons-nous au prochain congrès », *Le Bélier*, 1967.

sonnés en vertu de la *Loi sur les mesures de guerre*, que le nom d'Andrée Ferretti s'est inscrit pour la première fois dans l'histoire que j'étais en train de reconstituer par bribes, au hasard de mes lectures et de mes rencontres, comme le font tous les jeunes un peu curieux.

Andrée Ferretti. À mes yeux, elle portait un nom de révolutionnaire au parfum légendaire, comme Louise Michel ou Rosa Luxembourg. À l'époque, et encore maintenant, je repérais toujours d'instinct les noms des femmes qui avaient transgressé les lois de leur temps, ces opiniâtres qui avaient parlé haut et fort malgré l'occultation des femmes et navigué à contre-courant de la «fiction dominante[7]», souvent seules parmi les hommes. Ma collection particulière incluait aussi bien Clémence, Anne Sylvestre et Barbara que Simone de Beauvoir, Françoise Loranger, Marcelle Ferron, Marguerite Duras et George Sand. Je ne connaissais pas encore Madeleine Parent, Léa Roback et Simonne Monet-Chartrand, entre autres. J'avais besoin de créer ma propre lignée de femmes pour trouver le courage de transgresser, moi aussi, pour exercer mon devoir de parole et de désobéissance.

Ils sont rares, les «authentiques» révolutionnaires, ceux et celles qui ne dévient jamais de leur route, qui ne profitent jamais de leur notoriété et de leurs contacts pour se «placer les pieds» dans un poste prestigieux ou lucratif; ceux et celles qui continuent toujours de dire la vérité à voix haute, malgré les avancées et les victoires; ceux et celles qui ne dorment jamais, parce qu'ils savent que le sommeil de l'autosatisfaction ne fait que donner du temps à l'adversaire pour raffiner la férocité de sa contre-attaque. «Il n'y a de repos que pour celui qui cherche», chante Raôul Duguay dans *Le voyage*. «Il faudrait te lever pour trouver le repos», chante Suzanne Jacob dans *Enverse*. C'est là le credo de Ferretti, qui s'attaque au sommeil, à l'aliénation viscérale et à la peur à mains nues, à bras-le-corps, sans autre bouclier que son intelligence et sa foi inébranlable dans le pays à venir. Elle dénonce «l'effet corrupteur de la peur [...] socle de la

---

7. Expression empruntée à Suzanne Jacob.

subordination, de la soumission, de la dépendance[8] ». « La liberté est indivise[9] », écrit-elle, sûre de son fait, intègre, elle qui ne veut catégoriquement pas que le Québec en soit réduit à n'être qu'une « société distincte » dans le Canada ; elle qui compare sans aucune hésitation le jeu électoraliste des promesses, de la désinformation, des mensonges et des tractations occultes à un coup d'État. Ferretti a faim et soif de vraie démocratie et de liberté comme de pain et d'eau. Jamais elle ne se rassasiera. Elle écrit encore : « La liberté en acte n'a pas besoin de support, de renfort, de police d'assurance ; elle ne se soutient que d'elle-même et ne supporte qu'elle. [...] Elle échappe à tout ce qui veut la cerner. Elle est de l'ordre de l'irruption en soi. [...] La liberté, c'est la lutte permanente pour la liberté[10]. »

Ferretti a toujours la tête haute, le verbe actif. Elle répond souvent à une question qu'elle pose par une autre question, de plus en plus haletante, pressée par l'urgence. Personne ne veut plus employer les mots *aliénation* ou *colonisé* pour décrire l'état de dormance du peuple québécois ? Qu'à cela ne tienne. Elle n'obéira pas. Elle l'écrira et l'écrira encore, dans l'espoir qu'on se purge de notre état d'aliénation une fois pour toutes.

> Oui, nous sommes aliénés. La complexité contemporaine de cette aliénation n'en élimine pas pour autant l'accablante réalité. [...] Comment ne pas voir qu'il y a de la domination et de l'exploitation parce qu'il y a aliénation. Et non l'inverse. [...] notre aliénation nationale atteint aujourd'hui un degré de profondeur tel que même ceux et celles qui disent lutter pour notre libération n'en voient plus les œuvres, n'en reconnaissent pas l'effectivité[11].

Je ne peux m'empêcher de penser que la notoriété de Ferretti serait fort différente aujourd'hui si elle avait été un homme. Elle

---

8. Dans « La Souveraineté-association, ultime effet de notre esprit colonisé », art. cité.

9. Dans « L'histoire en espérance », art. cité.

10. Dans « Lettre à un pessimiste de luxe », *Trente lettres pour un oui*, Montréal, Stanké, 1995.

11. « Aliénation et dépolitisation », dans Nicole Laurin-Frenette et Jean-François Léonard (dir.), *L'impasse. Enjeux et perspectives de l'après-référendum*, Montréal, Nouvelle Optique, 1980.

aurait reçu davantage de reconnaissance, elle ferait moins peur, et ses textes de réflexion seraient devenus des classiques du genre. En 1978, elle constatait :

> Avoir une pensée originale et surtout l'exprimer et la défendre est, depuis toujours, le plus grand crime qu'une femme puisse commettre. [...] on la ridiculise. Ou, plus subtilement, on reconnaît l'intelligence et parfois même la pertinence de son discours, s'il n'était pas, n'est-ce pas ? si entaché d'émotivité, de subjectivité. [...] Devant les piètres résultats de la fameuse rationalité masculine, nous avons le devoir de commencer à mettre en œuvre notre propre rationalité[12].

Si l'on a salué l'« instinct » de Ferretti, c'est pour ne pas lui accorder la fulgurance de la « pensée », pour ne pas admettre le caractère visionnaire de ses analyses. Déjà, en 1968, elle faisait cette mise en garde, qui n'est pas sans nous faire penser aux géants mondialisés et subventionnés du « Québec inc. » : « Cependant, en faisant l'indépendance du Québec, [la petite élite bourgeoise nationale] peut devenir, à la place des membres de la bourgeoisie *canadian*, le gérant direct, le grand administrateur de l'impérialisme américain[13]. » Quand on lit ses textes des années soixante et soixante-dix, on jurerait entendre les discours des militants anti-mondialisation d'aujourd'hui. Elle ne perd jamais de vue la social-démocratie, pour elle indissociable du projet de pays. Elle veut un pays, oui, mais un pays tout neuf, qui ne ressemble pas déjà à un vieux pays prisonnier de ses vieux schèmes aliénants, enfoncé dans ses propres ornières, sans vision, avec un système économique dépassé et créateur d'inégalités. Elle en appelle toujours à de nouvelles stratégies de développement. Mais surtout, elle affirme, clairvoyante, d'un texte à l'autre, « la nécessité *culturelle* de la révolution économique ».

---

12. Dans « Égales, certes, mais à des hommes libres », *Le Devoir*, 2 novembre 1978.
13. Dans « Nous sommes doublement colonisés et exploités en tant que Québécois et en tant que travailleurs », *Parti pris*, novembre 1968.

Un projet d'indépendance nationale, au Québec, n'a de sens qu'inséré dans un projet réaliste de libération économique et sociale. Quand je dis réaliste, c'est aussi bien pour m'opposer au projet d'association du PQ qu'à l'objectif de révolution socialiste tel que prôné par la «gogauche» du Québec. Car il n'existe pas ici une telle chose qu'une nécessité *vitale* de révolution économique, les besoins essentiels étant satisfaits dans tous les cas, et les besoins superflus chez un très grand nombre. Il y a par contre une nécessité *culturelle* de changement radical de notre développement économique[14].

Il y a plus de vingt ans, elle expliquait déjà clairement la schizophrénie dans laquelle nous pataugeons encore aujourd'hui, entre le PQ et le projet d'indépendance. Nous sommes «les otages silencieux et impuissants de ce parti[15]», disait-elle en 1980. Nous pourrions dire la même chose aujourd'hui, nous qui n'osons trop bouger de peur de mettre en péril l'objectif principal, qui n'est pas en premier lieu la réélection du PQ mais l'indépendance du Québec, parce que nous savons que les critiques trop virulentes font le jeu de nos adversaires et le bonheur des libéraux du Québec. Les Québécois ont toujours agi comme si, en élisant le PQ, ils accédaient à l'indépendance. Pourtant, à chaque élection gagnée, «la prise du pouvoir par le Parti québécois a, d'une certaine manière, signé l'arrêt du combat pour l'indépendance[16]». Comme si c'était là le maximum de «risques» que les Québécois étaient prêts à prendre, comme si c'était là le plus loin qu'ils pouvaient aller sur le chemin de l'indépendance.

Ferretti était perçue comme radicale et elle l'était (elle l'est encore!), dans le sens: «qui tient à l'essence, au principe, qui vise à agir sur la cause profonde des effets qu'on veut modifier»; dans le sens d'une personne qui en revient toujours à la «racine» même de

---

14. Dans «La Souveraineté-association, ultime effet de notre esprit colonisé», art. cité. C'est moi qui souligne.
15. Dans «Aliénation et dépolitisation», art. cité.
16. Dans «La Souveraineté-association, ultime effet de notre esprit colonisé», art. cité.

l'idée qu'elle défend. Elle a donné sa vie à l'indépendance du Québec, et si nous avions vécu sous une dictature, je suis persuadée qu'elle aurait versé son sang pour son pays. Et pourtant, toute radicale qu'elle soit, même si elle s'est battue farouchement pour que le RIN ne soit pas «avalé» inconditionnellement par le Parti québécois au moment de sa fondation, Ferretti a quand même consenti à militer pendant quelques années pour le Québec à l'intérieur du PQ, loyale à son objectif et aux décisions démocratiques, branchée à la «puissance du désir dans l'aboutissement de l'œuvre[17]», comme écrivaine et comme militante politique. Elle a même été responsable de l'organisation électorale des quinze comtés de Montréal-Centre aux élections de 1973. Ce qui ne l'a jamais empêchée, bien au contraire, de critiquer son parti à voix haute, à gauche de la gauche, comme elle l'avait fait au RIN, particulièrement en 1967, quand elle se plaignait que rien n'avait été réalisé des décisions du dernier congrès et qu'elle déplorait «l'embourgeoisement des dirigeants». «Mieux vaut garder la porte ouverte à gauche, dit-elle, que de faire des compromis pour un petit groupe de réactionnaires[18].» Et vlan! Quand elle entend dire que le problème du RIN, c'est qu'il manque d'un chef, elle répond ceci, phrase qui vaut son pesant d'or encore aujourd'hui quand on se souvient de saint Lucien: «Après avoir espéré en vain René Lévesque, voilà que l'on se tourne vers François Aquin. C'est de la foutaise. Au lieu d'attendre le messie, mettons-nous à l'œuvre[19].» Re-vlan!

Ferretti est toujours une femme dont le maître-mot est *espérance*, une femme pour qui *impossible* n'est pas français. Elle est à ce point une combattante viscérale qu'elle se bat aujourd'hui avec sa propre langue, cette fois comme écrivaine. Dans le texte qui clôt ce recueil, elle écrit ceci:

> Pour moi, faire œuvre littéraire — ce qui n'a rien à voir avec écrire des livres — c'est pouvoir maîtriser suffisamment une langue pour lui faire exercer sa puissance infinie de création

---

17. Dans «Lettre à un pessimiste de luxe», art. cité.
18. Dans «Le militantisme d'action avant tout», *Le Bélier*, 1967.
19. Dans «Préparons-nous au prochain congrès», *Le Bélier*, 1967.

comme son implacable pouvoir de déstabilisation. Pour faire œuvre littéraire, il faut donc se battre avec une langue pour s'emparer de son vocabulaire, de sa grammaire, de sa syntaxe, puisque chaque mot, chaque règle, par rayonnement, donne dans cette langue tout le langage possible[20].

Elle «s'empare» du vocabulaire comme elle a voulu et veut toujours qu'on «s'empare», sans permission, de tous nos leviers de pouvoir et de notre liberté de peuple en faisant l'indépendance du Québec.

Pour conclure, je pourrais reprendre la plupart des mots de Ferretti, dont la vérité est encore bonne à dire — malheureusement — quarante ans plus tard. Entre autres, ces mots écrits en 1964:

Pour nous doit être à jamais révolu le temps des vaines espérances, des mots creux, des tergiversations, des compromis, de la partisanerie, des révolutions avortées, des gestes isolés et inconséquents [...] tant que l'indépendance ne sera pas le besoin primordial des indépendantistes, tant qu'ils continueront à ménager la chèvre et à espérer le chou, ils ne convaincront personne de la valeur de leur idéal et n'entraîneront personne à tout risquer pour le réaliser. Comme tout le monde, ils se contenteront de réclamer plutôt que de prendre et comme tout le monde, ils se laisseront emporter par le vent plutôt que de s'en servir pour conduire leur bateau à bon port[21].

La lutte est loin d'être terminée. Chez Ferretti, malgré les blessures des défaites et des coups de Jarnac, malgré la colère engendrée par les humiliations successives trop facilement acceptées par les Québécois, et malgré les reculs apparents, il y a une telle ardeur à lutter et à être Québécoise, un tel amour de la liberté, une telle conviction profonde que le pays est la seule voie possible pour les Québécois, voie difficile mais exaltante, et un tel pouvoir de contamination joyeuse dans ses mots que je n'ai aucun doute: nous aurons le dernier mot. Et après ce dernier mot, nous dirons le

---

20. Dans «Écrire contre la domination», *Combats*, printemps-été 2001.
21. Dans «Pour vaincre la peur», *L'Indépendance*, septembre 1964.

premier mot du pays. Ce n'est pas une promesse d'élection, c'est un engagement passionné et passionnant. Ferretti n'est pas faite de l'étoffe qui peut « virer capot » au gré des saisons. Elle n'est pas du genre à revenir sur sa parole. Moi non plus.

HÉLÈNE PEDNEAULT
15 novembre 2001
à l'occasion du 25ᵉ anniversaire
de la première victoire du PQ en 1976

Note: La partie du titre de cette préface en italiques a été tirée du texte de Ferretti « L'histoire en espérance ».

Introduction

Sans nier l'importance primordiale de l'enracinement de la très grande majorité du peuple québécois dans la nation canadienne-française et dans ses luttes pour la survie qui constituent son essence même, encore aujourd'hui et même au Québec, les indépendantistes québécois, voulant rompre avec cette dynamique de la survivance d'une nation, en partie éparpillée et sans aucun pouvoir dans les neuf provinces anglaises du Canada, ont jugé nécessaire et urgent de doter cette nation d'un État national souverain, là où elle dominait en nombre et où elle disposait de certains pouvoirs législatifs. Les indépendantistes ont ainsi décidé, au début des années soixante, de revendiquer et d'établir le caractère national du peuple québécois. Ils le fondaient sur sa possession en droit et en fait d'un territoire, le Québec, et sur la prépondérance à l'intérieur de ses frontières d'une langue, d'une culture et d'une dynamique sociétale communes, pouvant être partagées par l'ensemble des Québécoises et des Québécois de toutes origines.

«Le Québec aux Québécois», criions-nous partout et sur tous les tons.

«Le Québec aux Québécois» n'a toutefois jamais été pour moi un simple slogan, non plus qu'une affirmation théorique d'un désir incertain d'un Québec politiquement indépendant, mais l'expression précise d'une volonté concrète de libération nationale du peuple québécois. Je l'ai toujours pris littéralement. Je lui ai donné son sens plein et entier dès mes premières participations à des manifestations où je l'ai entendu clamer par milliers de femmes et d'hommes indignés par les barrages de policiers de la RCMP[1], à cheval et matraques à la main, dressés devant eux pour protéger les intérêts de la classe dominante *canadian* et ceux, subordonnés, des quelques potentats de notre bourgeoisie nationale en train de se constituer. C'était en 1961, en 1962, avant même que je devienne membre du RIN, à la suite de l'explosion des premières bombes du FLQ, posées par de jeunes rinistes qui, eux, venaient de le quitter, impatients devant le manque de leadership, d'organisation et d'action du mouvement, déçus par l'ambiguïté de ses positions économiques et sociales.

Je le savais d'instinct et par la connaissance de notre histoire, mais c'est le soir même de mon inscription au RIN, le 8 mars 1963, alors que je distribuais le dernier numéro du journal *L'Indépendance* dans le quartier Saint-Henri, après avoir traversé Westmount pour m'y rendre, que j'ai vérifié dans toute leur étendue et leur gravité les effets de notre dépossession. J'ai alors compris à jamais que la domination politique, l'exploitation économique et l'aliénation culturelle étaient les trois conséquences *inextricables* du pouvoir colonialiste exercé contre nous depuis la conquête anglaise. Et, du même coup, j'ai compris à jamais que seule une véritable lutte de libération nationale, unissant *inextricablement* les revendications d'émancipation politique à celles d'émancipation économique, sociale et culturelle, pouvait éventuellement nous conduire au renversement de l'ordre établi, à l'avènement d'un État indépendant de langue française et à l'épanouissement d'une nation québécoise souveraine et démocratique, responsable d'elle-même, capable de bâtir une société selon ses besoins, ses moyens, ses aspirations, ses valeurs propres.

Et du même coup, j'ai aussi compris qu'une lutte de libération nationale, dans une démocratie libérale, nécessite pour être menée à bien une stratégie appropriée à ses objectifs. Cette stratégie doit nécessairement être fondée sur l'éducation et la mobilisation du peuple, puisque sans son engagement massif, conscient et déterminé, elle ne saurait être victorieuse, pas même en partie.

Je n'ai jamais pensé autrement. Malheureusement, les revers et les échecs constants que nous essuyons depuis vingt-cinq ans, de même que nos actuels reculs sur tous les fronts, y compris sur celui de la langue, montrent en effet la vanité des luttes inappropriées aux objectifs poursuivis, si bien intentionnées soient-elles. Ainsi, il s'avère aujourd'hui irréfléchi d'avoir pensé changer quelque ordre établi que ce soit, en dissimulant au peuple l'ampleur et la gravité des enjeux en cause en les réduisant à leurs seules dimensions politiques. Ainsi, il s'avère inconséquent d'avoir cru pouvoir contrôler le terrain de la lutte, en dissimulant au peuple qu'il est miné par les intérêts colossaux d'un ennemi puissant, lui dissimulant dans la même foulée les difficultés et le prix des combats à mener, en les réduisant aux seules campagnes électorales pour la prise et l'exercice du pouvoir existant. Bref, il s'avère aujourd'hui catastrophique d'avoir, sous prétexte de ne pas l'apeurer, trompé le peuple en lui faisant croire qu'on peut créer un ordre nouveau, aussi peu révolutionnaire soit-il, en ménageant la chèvre et le chou.

Animée par la conviction profonde et inébranlable que le possible avènement de l'indépendance du Québec est éminemment l'affaire du peuple québécois, je me suis depuis bientôt quarante ans appliquée à comprendre et à expliquer les mécanismes de notre assujettissement et de ses effets aliénants, je me suis engagée dans les seules actions conformes à mes conceptions de la nécessaire prise en charge de la lutte par le peuple, je me suis sans cesse insurgée contre les tentatives de détournement du projet par les politiciens.

« Le Québec aux Québécois » a été et demeure l'unique objectif de mon militantisme, aussi bien dans l'ordre de la pensée que dans celui de l'action, comme en témoignent tous les textes de ce recueil.

Celui-ci ne prétend pas au titre d'anthologie, quelques textes répertoriés n'ayant pas été retenus, soit parce qu'ils répétaient des idées ou des arguments développés dans les mêmes termes dans d'autres textes, soit parce qu'ils avaient été écrits en collaboration. Par ailleurs, tous les textes publiés ici sont exactement conformes à leur première édition.

Les années soixante

Années d'émergence de la nation québécoise comme force sociale consciente d'elle-même et de son rôle historique dans la transformation de la situation coloniale. Moments de rare coïncidence entre l'aspiration latente de tout un peuple à un changement profond et libérateur, et la transformation effective et rapide de la société. Ça commence par le constat que *C'est le temps que ça change*[2], et pas n'importe comment, mais en devenant *Maîtres chez nous*[3], décidons-nous aussitôt, pour arriver peu à peu, d'une réalisation partielle à une autre, à nous convaincre qu'*On est capable*[4] de vraiment le devenir.

Années de militantisme quotidien pour moi, dans les rangs du RIN, de *Parti pris* et du MLP[5], voué au recrutement de sympathisants, à la mobilisation et à la politisation des partisans, au financement et à l'organisation de notre action. D'où le ton volontariste et impératif de plusieurs textes et discours, de tous ces appels à ce que « nous DEVONS » faire et de toutes ces affirmations sur comment « nous DEVONS » le faire. Apparaît alors clairement ma conviction, alors partagée par d'innombrables militants, que la nécessité de l'engagement dans la lutte découlait logiquement de nos analyses démontrant la nécessité de la libération nationale.

Lutte que nous voulions révolutionnaire puisque l'objectif à atteindre, la destruction du système de domination et d'exploitation du pouvoir colonial, et l'instauration d'un nouvel État, indépendant, démocratique et socialiste, l'était éminemment. Lutte révolutionnaire qui s'inscrivait dans le vaste mouvement des luttes contre toutes les formes d'assujettissement menées en Afrique, en Asie, en Amérique centrale et du Sud, par les nations et les peuples pour leur indépendance politique ou pour leur émancipation économique, sociale et culturelle, menées aux États-Unis par les Noirs contre le racisme et pour l'égalité des droits ; menées partout en Occident par les femmes contre le machisme et pour leur droit à l'égalité dans la différence.

De 1968 à 2001

Lutte révolutionnaire à laquelle le sabordement du RIN, la fondation du Parti québécois, la proclamation et l'application de la *Loi sur les mesures de guerre* portèrent un coup fatal, comme le montrent la stagnation de la situation depuis vingt-cinq ans et la nécessité dans laquelle nous nous trouvons aujourd'hui de la repenser dans la mouvance d'un monde qui, lui, a changé.

Pendant toutes ces années, j'ai continué à chercher à comprendre les raisons de notre impuissance à nous donner un pays où nous serions maîtres de notre destin et à partager mes réflexions et mes convictions en les exposant sur le plus grand nombre possible de tribunes. Sans nécessairement me faire entendre, puisque toutes mes analyses attribuent fondamentalement notre échec à l'hégémonie exercée par le Parti québécois sur le mouvement indépendantiste, à ses constantes tergiversations idéologiques et à ses stratégies électoralistes. D'où mes conclusions menant à la nécessité et à l'urgence d'une reprise en main démocratique de la lutte pour l'avènement d'un Québec libre.

Lutte qui devra nécessairement tenir compte des nouveaux fondements et des exigences d'une action politique efficace, dans le contexte actuel d'une mondialisation impérialiste des modes de produire et de consommer, de penser et d'agir, où la nation a cédé la place à la culture comme lieu essentiel du politique. En effet, face à la tentative d'homogénéisation des besoins et de leur satisfaction, et de ses conséquences nocives sur la créativité des communautés, des peuples et des nations, la culture est devenue l'enjeu primordial et universel pour la sauvegarde et l'épanouissement de l'identité spécifique de tous et de chacun. Elle devient du même coup l'enjeu fondamental des luttes à mener ici comme ailleurs pour la démocratie et, *a fortiori*, pour la liberté.

Or, ici, et c'est là notre essentielle spécificité, l'avènement de notre indépendance nationale est la condition *sine qua non* qui peut assurer la suite de notre existence particulière et, conséquemment, notre possibilité d'être une présence singulière dans le monde.

ANDRÉE FERRETTI
5 janvier 2002

1. *Royal Canadian Mounted Police*.
2. Slogan du Parti libéral du Québec aux élections de juin 1960.
3. Slogan du Parti libéral du Québec aux élections de novembre 1962.
4. Slogan du Rassemblement pour l'indépendance nationale aux élections québécoises de juin 1966.
5. Mouvement de libération populaire fondé en 1965 par le Club Parti pris, lui-même issu de la revue *Parti pris*.

Le parti révolutionnaire ne doit pas compter sur « les autres »

Le 27 mai 1964, Andrée Ferretti prononce son premier discours
au cours d'une assemblée publique du RIN au Monument-National.
Le journal du RIN en a reproduit des extraits.

Qu'est-ce que la révolution au Québec en 1964? Ce n'est plus seulement rapatrier quelques pouvoirs politiques d'Ottawa: Jean Lesage n'accomplira jamais la révolution nationale dont nous avons besoin. Il ne pourrait que nous donner une indépendance de nom qui n'empêchera pas les citoyens de la Gaspésie de crever de faim et les ouvriers de Montréal de laisser leur langue maternelle à la porte des usines et des compagnies étrangères. Le parti révolutionnaire qui fera l'indépendance abolira le système du bipartisme par la création d'une véritable caisse électorale nationale garnie par tout le peuple québécois et non par une petite minorité de capitalistes qui conduisent ensuite le gouvernement par en dessous. Ce parti abolira aussi le patronage, mais pas à la Jean Lesage, qui maintient la pire forme de patronage en n'ayant pas le courage d'abolir le Conseil législatif.

Ce parti révolutionnaire créera de véritables ministères au service du peuple et non une de ces parodies comme l'actuel ministère de l'Éducation, dont les dirigeants les plus importants ne sont même pas choisis par l'élu du peuple, mais par des corps dits intermédiaires, et dont les décisions sont, le plus souvent, celles d'un exécutif de cinq personnes. Ce parti révolutionnaire nous donnera aussi un véritable code du travail et un code juridique, ainsi qu'une charte des droits de l'homme dans laquelle je prévois déjà un bel article : La police n'aura pas le droit de faire de la provocation.

Un parti révolutionnaire qui veut vraiment transformer la vie de la nation au profit de tout le peuple doit bousculer les intérêts des gens en place. Il ne doit donc compter sur aucune des autorités intellectuelles, financières et politiques en place. Il doit se donner ses propres moyens de propagande. Personne ne nous paiera notre propagande. Nous devrons donc nous la créer. Elle sera avant tout une propagande d'action. Chaque militant du RIN devra faire du porte-à-porte, prendra audacieusement la parole dans les lieux publics et forcera le peuple à l'écouter. Nous devrons multiplier les manifestations de toutes sortes, et aller, si nécessaire, jusqu'à la désobéissance civile. Nous devrons toujours éviter de faire violence aux autres, mais continuellement nous faire violence à nous-mêmes et ne jamais faiblir dans notre détermination à aller jusqu'au bout.

L'Indépendance, vol. 2, n° 7, juillet 1964, p. 6.

Pour vaincre la peur...

Après l'explosion des premières bombes du FLQ en 1963,
Andrée Ferretti devient membre du RIN. Elle croit fermement
à la cause de l'indépendance mais par des moyens démocratiques
sans toutefois limiter ceux-ci à l'action électorale.

Flairer avec perspicacité les aspirations de leurs concitoyens est, à ce qu'il paraît, le sixième sens dont sont doués tous les vrais politiciens. En termes plus scientifiques, les observateurs appellent ce phéno-mène : « Évaluation du climat politique ».

Depuis les premières bombes du FLQ, même si elles n'étaient pas atomiques, la température de la Belle Province a bien changé. Ça monte ! Ça monte ! Et en même temps qu'ils se réchauffent, les sangs se révoltent. C'est ainsi que les grèves éclatent un peu partout, que des marches successives sur le parlement s'organisent, que fleurissent les mémoires tous plus revendicateurs les uns que les autres et, oh! indices si révélateurs, que messieurs les Anglais prennent peur.

Leur sixième sens en alerte, les politiciens regardent, écoutent, pèsent et soupèsent, s'agitent, s'énervent et, pour se calmer et aussi pour apaiser leurs concitoyens, du moins se l'imaginent-ils, ils font instinctivement des déclarations plus séparatistes les unes que les autres. Ils subissent et créent à la fois le nouveau climat politique du Québec.

UN MALAISE FONDAMENTAL

Mais ont-ils compris la signification profonde de toutes les crises tant politiques qu'économiques et sociales qui transforment actuellement, à un rythme révolutionnaire, la société québécoise? Ont-ils compris que c'est seulement parce qu'elles cristallisent le malaise fondamental du Québécois, qui se découvre membre d'une véritable nation distincte de toutes les autres nations et pourtant gouvernée par une nation étrangère, que ces crises ont un lien commun qui est l'expression d'une prise de conscience nationale? Ont-ils compris, ces fameux détecteurs du sentiment populaire, que la grande aspiration actuelle du peuple québécois est de présider à ses propres destinées?

Malgré leurs alléchantes déclarations, il faut croire que non. La récente agressivité de leurs électeurs les désorientent et ils lancent des ballons d'essai. Mais, au fond, ils espèrent, parce que c'est plus facile et aussi parce qu'ils sont trop colonisés pour concevoir le contraire, qu'encore une fois le peuple se contentera de réformes superficielles, en un mot, de miettes. C'est ainsi que Jean Lesage, au nom de la vitalité de la nation québécoise, invite les éducateurs de langue française à s'imprégner toujours plus de la culture française afin d'en approfondir la qualité et d'en intensifier la diffusion mais accepte, au plus grand mépris du peuple, de recevoir la reine d'Angleterre. Rien ne change véritablement: aux Québécois continuent d'être destinées les bonnes paroles; aux *Canadians*, les actions significatives.

MAIS LE VENT A TOURNÉ...

Et pourtant le vent a tourné et l'avenir est irrémédiablement à l'indépendance. Toutefois, comme notre cause ne relève pas d'abord de la politique mais est essentiellement d'ordre révolutionnaire, elle dépasse l'entendement des Jean Lesage, René Lévesque, Réal Caouette, Daniel Johnson et compagnie, et même de nombreux indépendantistes. La politique est une chose et la révolution en est une autre. Qui veut la fin prend les moyens.

Et le premier moyen, le seul véritablement difficile à prendre, est de vaincre en soi la peur, individuellement et collectivement. Savoir ce que l'on veut et être décidé à le conquérir à n'importe quel prix. Avoir comme première raison d'exister la révolution et croire profondément que, sans son accomplissement, nous ne pourrions vivre heureux. Alors l'engagement sans condition devient possible et toutes les actions qui en découlent. Dix hommes valeureux en entraîneront alors cent autres, et cent, et mille et ainsi de suite.

Mais tant que l'indépendance ne sera pas le besoin primordial des indépendantistes, tant qu'ils continueront à ménager la chèvre et à espérer le chou, ils ne convaincront personne de la valeur de leur idéal et n'entraîneront personne à tout risquer pour le réaliser. Comme tout le monde, ils se contenteront de réclamer plutôt que de prendre et comme tout le monde, ils se laisseront emporter par le vent plutôt que de s'en servir pour conduire leur bateau à bon port.

UNE PATRIE À NOUS

Nous tous, citoyens du Québec, qui avons pris conscience de notre appartenance à une nation distincte, que nous militions dans un parti ou dans un autre, que nous soyons membres de telles ou telles associations patriotiques, nous devons maintenant comprendre qu'il est temps de nous donner une patrie bien à nous et de nous convaincre que seule notre détermination à agir nous-mêmes nous gagnera l'indépendance. Il ne faut plus jamais compter sur les René Lévesque, les Jean-Jacques Bertrand ou la Société Saint-Jean-Baptiste. Ces gens n'ont jamais dit qu'ils voulaient faire l'indépendance. Même s'il était vrai qu'ils la désirent, tant qu'ils n'auront pas fait leur choix avec tous les sacrifices qu'il implique, leurs vœux secrets ne valent pas plus cher que ceux de votre humble voisin.

Pour nous doit être à jamais révolu le temps des vaines espérances, des mots creux, des tergiversations, des compromis, de la partisanerie, des révolutions avortées, des gestes isolés et inconséquents. Soyons prêts et unissons-nous.

L'Indépendance, vol. 2, n° 9, septembre 1964, p. 11.

Le FLQ répond au frère Untel

Dans un article paru en page éditoriale de *La Presse*, Jean-Paul Desbiens tenait des propos méprisants envers les jeunes militants indépendantistes. Indignée, Andrée Ferretti lui répond.

Le frère Untel[1] est désormais un fonctionnaire «haut placé». Il peut encore être progressiste mais ne peut plus se permettre d'être révolutionnaire, de travailler à la transformation des structures politiques, économiques et sociales qui libéreraient globalement la nation québécoise.

Le frère Untel qui, de son propre aveu, par ailleurs admirable et d'une authenticité extraordinaire, s'est sorti de sa misère intellectuelle et matérielle en s'instruisant, à la condition d'entrer chez les frères, croit qu'en envoyant les petits Québécois à l'école — longtemps — la nation québécoise se libérera du colonialisme *canadian* et de l'impérialisme américain. Il n'a sans doute pas lu Étienne Parent qui disait la même chose vers les années 1850. [...]

L'ANTI-COLONIALISME EST NÉCESSAIRE

Il est pourtant une situation de fait que même les gens instruits chez les frères ne peuvent ignorer aujourd'hui: le Québec est un

État colonisé qui n'est pas maître de son destin ; la nation québécoise est sans patrie, sans les pouvoirs de se gouverner selon ses véritables besoins et selon ses aspirations subjectives mais réelles et fondamentales.

Cette situation constitue à elle seule une condition objective de la nécessité d'une révolution. Et elle s'appuie sur d'autres conditions objectives :

– la prise de conscience par une proportion imposante et toujours croissante de la population de l'aberration de notre situation nationale et de la situation économique qui en découle ;

– la volonté d'une minorité active et représentative de tous les milieux de s'en sortir.

Lorsque les conditions objectives d'une révolution existent, il est criminel (c'est un génocide) d'en retarder le commencement.

LA VOIE RÉVOLUTIONNAIRE EST ÉTOUFFÉE

L'action du FLQ ne serait donc pas et n'était pas, en 1963, prématurée par rapport à la situation objectivement révolutionnaire. Elle était et elle demeure justifiée pour tous ceux qui considèrent que la violence constitue le seul moyen d'accomplir la révolution au Québec.

Posons-nous maintenant la question : La violence ou toute forme d'action autre que les moyens d'action politique traditionnels peut-elle sensément être utilisée au Québec comme moyen de libération ? Nous répondrons par une analyse de la situation en partant de l'hypothèse que cela dépend du degré de politisation des masses et des moyens dont disposent les révolutionnaires pour procéder à cette éducation populaire.

Ce n'est un secret pour personne que les grands médias d'information sont le monopole exclusif des classes dirigeantes qui se composent en grande partie de capitalistes anglo-saxons. En effet, même si le ou les propriétaires d'un journal à fort tirage sont Québécois, tant que la publicité qui défraie le coût de production et donne les profits annonce presque exclusivement des produits américains et *canadians* vendus par des maisons *canadians*, par l'inter-

médiaire d'agences de publicité *canadians* qui touchent des ris-
tournes au pourcentage, on peut affirmer que c'est le capitalisme
étranger qui contrôle l'idéologie de nos journaux. Il en est de même
pour la radio et la télévision.

L'ARGENT DES COLONIALISTES FAUSSE TOUT

De plus, ce sont de ces mêmes sources que viennent aussi les
fonds des caisses électorales de nos deux partis officiels. Ils sont
obligés, pour vivre, de défendre les intérêts des capitalistes anglo-
saxons. Demandons à M. Lesage pourquoi il ne change pas la loi du
crédit. Croyons bien que ce n'est pas par hasard que nos ministres
du Revenu et des Finances et notre président de la Bourse, à
Montréal, sont *canadians*.

Et pour ajouter à ce tableau déjà affreusement réaliste, notons
que le Québec ne possède pas d'agence de presse et que, de ce fait,
les nouvelles nous parviennent filtrées à travers l'optique *canadian* et
américaine.

Voilà selon quels intérêts à protéger les citoyens du Québec reçoi-
vent l'information destinée à les rendre sensibles à la chose politique.

En face de ces géants, de quels moyens d'information disposent
les révolutionnaire? Des journaux qui reposent entièrement sur
l'activité bénévole de journalistes nécessairement amateurs et sur les
dons continus des membres du mouvement. [...] Par ailleurs, ces
contestataires rencontrent l'hostilité systématique des autres médias
qui, ou bien les ignorent complètement, ou bien déforment mal-
honnêtement leur pensée et le sens de leur action.

L'INDÉPENDANCE DEMEURE ESSENTIELLE

Il devient alors nécessaire, aux yeux de beaucoup de révolutionnaires, de prendre d'abord le pouvoir et ensuite, avec les moyens
qu'il confère, de procéder à la politisation du peuple, dans son
intérêt propre, cette fois. Le parti révolutionnaire au pouvoir devra
donc accomplir une transformation radicale du régime: passer du
colonialisme à la souveraineté politique et de l'impérialisme économique au socialisme.

Pouvons-nous croire sérieusement que les autorités coloniales qui nous gouvernent participeront de leurs deniers à la formation légale et démocratique d'un tel parti, et aux frais de sa propagande et de ses moyens d'action ?

Continuez, Frère Untel, à former des ingénieurs qui mettront leur talent au service de compagnies étrangères et qui travailleront huit heures par jour dans la langue de leur maître, c'est votre droit. Mais puisque vous vous dites honnête, n'utilisez donc pas les grands moyens de diffusion que le système met à votre disposition, parce que vous le servez, pour critiquer à tort et à travers la pensée, tout au moins aussi honnête que la vôtre, de vos concitoyens dévoués jusqu'à la mort à la libération de notre nation.

Québec-Libre, vol. 2, n° 1, juin 1965, p. 5.
1. Jean-Paul Desbiens (frère Untel) est membre de la communauté des frères maristes. Il a publié, en 1960, *Les insolences du frère Untel*, un pamphlet sur l'échec de notre système d'éducation et la dégradation de la langue. De 1964 à 1970, il a travaillé au ministère de l'Éducation où il sera l'un des artisans des réformes.

La Québécoise ne veut pas être l'égale d'un homme colonisé

Le 1ᵉʳ juin 1966, le RIN tient une assemblée monstre (10 000 personnes) à l'aréna de Montréal-Nord. Tous les candidats aux élections du 5 juin sont invités à prendre la parole pendant quelques minutes.

Bien qu'il ait un peu amélioré la condition de la femme mariée, le *bill* 16 n'a pas opéré de transformations profondes au Code civil et la femme mariée québécoise continue d'être traitée comme une mineure[1].

Or à l'article 150 du programme du RIN, il est dit que la femme sera reconnue du point de vue juridique comme l'égale de l'homme et qu'elle jouira de tous les droits politiques et civils du citoyen[2].

Cette mesure pourrait déjà être réalisée à l'intérieur même des cadres politiques de la Confédération, si nous avions des dirigeants moins bourgeois et moins timorés, car le droit civil relève de la compétence des provinces. Pourtant, sans l'indépendance, que signifierait cette égalité pour la femme québécoise sinon qu'elle serait désormais l'égale d'un homme exploité par des étrangers pour des intérêts étrangers, d'un homme dominé, dirigé par un gouvernement étranger, d'un homme colonisé.

Or la femme québécoise veut désormais être l'égale d'un homme libre. Et seule l'indépendance peut faire des Québécois des hommes libres, parce que seule l'indépendance, en remettant entre leurs mains tous les pouvoirs politiques et économiques de se diriger selon leurs propres aspirations, selon leurs besoins, leurs intérêts, fera des Québécois des hommes responsables. Et un homme libre est un homme responsable de lui-même, maître de lui-même.

Le colonialisme, lorsqu'il frappe un peuple, ne l'atteint pas que dans ses institutions politiques, économiques, sociales et culturelles, il atteint chacun de ses membres au plus profond de son être, il l'atteint psychologiquement : c'est pourquoi le colonisé se sent si souvent inférieur aux autres et se conduit par conséquent en inférieur. Le véritable drame du colonialisme se situe à ce niveau. Il infériorise les hommes, il les déshumanise. Et le peuple québécois n'a pas échappé à ce phénomène et c'est pourquoi il n'a pas produit de grands penseurs, de grands écrivains, de grands pédagogues, toutes branches de l'activité humaine où l'homme devient l'expression même de l'originalité et de la grandeur de l'âme d'un peuple.

Mais les Québécois se lèvent chaque jour plus nombreux qui refusent la domination, qui travaillent à leur libération et nous, les Québécoises, nous les aiderons à devenir des hommes libres ; nous nous aiderons à devenir des femmes libres pour que nos enfants vivent dans un pays enfin à nous.

Le 5 juin, les Québécoises voteront pour l'égalité dans la liberté, pour l'indépendance du Québec, pour le RIN.

---

1. Introduite par Claire Kirkland-Casgrain, la première femme élue députée à l'Assemblée législative, cette loi mit fin à l'incapacité juridique de la femme mariée.

2. Article 150 du programme politique du RIN 1966-1967 : Dans le domaine du droit civil, un gouvernement RIN reconnaîtra la femme, du point de vue juridique, comme l'égale de l'homme ; elle aura tous les droits civils et politiques du citoyen. Par conséquent, elle aura accès à toutes les carrières et, pour le même travail, elle recevra le même salaire que l'homme.

L'électoralisme et la révolution

Sous le nom commun du *Bélier*, plusieurs régions, certains comtés
et les jeunesses rinistes publiaient leur propre bulletin interne de liaison.
Les textes qui suivent sont parus dans des numéros produits par
et pour les membres de la région de Montréal.

La très grande majorité des Québécois ne connaissent qu'une seule forme d'acte politique : c'est d'inscrire une croix sur un bulletin de vote, un jour d'élections générales. Ce manque de participation à la vie politique de la nation est la conséquence directe de l'électoralisme tel que pratiqué par nos deux partis traditionnels. En effet, toute l'organisation d'un parti électoraliste est basée non pas sur la participation active, consciente et permanente de ses adhérents et de ses sympathisants, mais sur une énorme machine électorale dont la mise en branle n'est possible, au moment de la campagne électorale, que grâce à une fabuleuse caisse presque entièrement garnie par les gros capitalistes anglo-saxons.

Cet électoralisme équivaut en somme à un coup d'État. C'est une prise du pouvoir à coup de millions plutôt qu'à coup de bazookas. C'est une prise du pouvoir par une petite poignée d'hommes au service des capitalistes étrangers et qui gouvernent pour le profit de leurs maîtres plutôt que pour le développement et l'épanouissement de la nation québécoise.

Or le RIN, dont les principaux objectifs sont de faire l'indépendance politique et la libération économique, sociale et culturelle du peuple québécois, est un parti révolutionnaire. Révolutionnaire, parce que la réalisation de ses objectifs nécessite le renversement radical de l'ordre établi et de ceux qui le maintiennent, et exige l'instauration rapide de nouvelles institutions tant économiques que politiques.

Par conséquent, le RIN, parti révolutionnaire, doit se donner des moyens d'action aussi révolutionnaires. Le RIN doit avoir constamment conscience qu'il ne pourra jamais se battre sur le même terrain que ses adversaires, ni surtout avec les mêmes armes, c'est-à-dire l'argent.

Pour prendre le pouvoir au moyen d'une élection, le RIN doit avant tout éviter de devenir électoraliste. Le RIN doit se donner des structures, des cadres, une organisation et des moyens d'action tout à fait différents et basés sur la participation permanente d'une proportion toujours grandissante de la majorité des Québécois, c'est-à-dire des travailleurs, qui forment 91 % de la population et dont près de 70 % gagnent moins de 4000 $ par année.

Pour quelque temps encore, la première tâche du RIN sera de former des militants. Des militants qui, par leur formation, leur discipline et leur disponibilité, constitueront notre véritable force de frappe. Ce n'est pas par la télévision que nous rejoindrons, que nous intéresserons et que nous intégrerons les travailleurs québécois, mais c'est par des contacts constants dans les usines, les foyers, les centres de loisirs, etc.

Or, pour être efficace, cette propagande d'action doit se répandre, s'intensifier chaque jour. Il nous faut donc de plus en plus de militants. Notre première tâche est donc de créer à travers tout le Québec des structures, des cadres qui favoriseront le militantisme de tous nos membres actuels et futurs.

À Montréal, le mot d'ordre est désormais : formation, organisation, propagande.

Le Bélier, vol. 1, n° 2, mars 1967, p. 4.

Préparons-nous au prochain congrès

À la veille de notre prochain congrès, nous devons nous demander sérieusement ce que nous avons fait depuis le dernier congrès, depuis les dernières élections, depuis quelques années. Sans pessimisme, mais aussi sans vantardise. Nous devons cesser de faire les autruches et ne pas craindre les examens de conscience. En politique, on appelle ça faire son autocritique.

Et même sans analyse poussée, on peut dire que tout ne va pas très bien, Madame la Marquise. Si l'on se reporte seulement aux objectifs votés lors du dernier congrès, on constate qu'aucun n'a été réalisé et n'est même pas en voie de l'être. Après une année, le gouvernement parallèle n'est encore que l'objet des discours de notre président; le comité de stratégie n'est encore composé que de son directeur, qui n'a jusqu'à maintenant présenté que quelques suggestions tactiques et n'a pas encore mis sur pied un sous-comité dont le but serait d'étudier une stratégie à long terme et dont la création a été votée à la réunion du conseil central du 5 février 1967; le comité politique n'existe même plus et toutes les résolutions reportées pour l'étude au congrès d'octobre 1966 ne feront même pas l'objet, au prochain congrès, d'un rapport des travaux effectués à cet effet.

Quant à notre action entreprise auprès des travailleurs québécois, elle est complètement inexistante depuis Lachute[1]. Et Lachute, c'était avant ce dernier congrès où, dans un beau discours, notre président a proclamé haut et fort que nous étions le parti des travailleurs.

Plus humblement encore, nous devons reconnaître que sans le général de Gaulle, la présence d'un mouvement indépendantiste serait passée inaperçue en cette « mémorable » année du Centenaire. Et qu'en ce 22 août [1967], ni notre président, ni notre comité de stratégie, ni notre comité de propagande ne nous ont donné aucune directive quant au « train du Centenaire » qui sera dans nos murs d'ici quelques jours.

Pourtant un phénomène plus grave encore que cette inaction dangereuse mine le parti depuis quelques années. C'est l'embourgeoisement. Et cela se traduit de la façon la plus manifeste dans l'individualisme de nos dirigeants. Chacun agit (ou n'agit pas) à sa guise, sans véritable consultation avec la base, sans sérieuse discussion avec les autres éléments de la direction du parti. C'est l'individualisme de nos dirigeants qui fait que depuis 1964, depuis l'avant-dernière visite de la reine, aucun militant ne peut se vanter d'avoir eu notre président, par exemple, à ses côtés quand nous descendions dans la rue. Nos dirigeants n'étaient pas à la fête de la Reine en mai 1965; ils n'étaient pas devant la gare du Canadien Pacifique en janvier 1967; ils n'étaient pas à Lachute en octobre 1966, etc. Nous ne voyons plus nos dirigeants que sur les estrades de nos assemblées publiques.

Non, décidément, tout ne va pas très bien, Madame la Marquise.

Dans les milieux agissants (pour ne pas dire agités), on répète de plus en plus souvent que c'est d'un chef que nous manquons. Après avoir espéré en vain René Lévesque, voilà que l'on se tourne vers François Aquin. C'est de la foutaise. Au lieu d'attendre le messie, mettons-nous à l'œuvre.

Mais alors, me direz-vous, que devons-nous faire?

D'abord, nous devrions profiter de notre prochain congrès pour faire ensemble, tous les militants du parti, cette autocritique qui nous permettra de mieux voir où nous avons failli à notre tâche de parti révolutionnaire et pourquoi. Donc, création d'une commission où l'on analyserait la valeur des méthodes de recherche, de pensée, d'organisation et de propagande que nous avons employées depuis deux ou trois ans.

Ensuite, en regard des conclusions que nous tirerons de cette autocritique, nous pourrions proposer la création d'un comité spécialement chargé d'étudier toutes les possibilités que nous offriraient de nouveaux moyens d'action. Et le congrès devrait exiger que le directeur de ce comité soit élu sur présentation d'un projet à la première réunion d'un conseil central qui suivra le congrès.

Il y en a qui diront que les procédures normales du congrès ne permettent pas l'introduction, à cette date, de nouveaux styles d'étude et de discussion. Peut-être bien! Mais moi je dis qu'il est urgent que nous nous redéfinissions vis-à-vis de nous-mêmes et par rapport aux autres forces politiques du Québec; qu'il est urgent que nous prenions un nouveau départ. Ne soyons pas procéduriers mais révolutionnaires. En tant que militante, je demande à tous les militants réunis en assemblée générale de réclamer ce changement au programme, au début du congrès. C'est possible. Alors, faisons-le.

Le Bélier, vol. 1, n° 5, août 1967, p. 6.
1. Les ouvriers de la Dominion Ayers à Lachute ont été en grève du 3 juillet au 28 octobre 1966. Le RIN a appuyé les grévistes en participant à des manifestations.

Le militantisme d'action avant tout!

Le 7ᵉ congrès du RIN s'est déroulé à Trois-Rivières, en septembre 1967. Andrée Ferretti avait posé sa candidature à la vice-présidence du parti. Bien qu'elle ait rencontré une vive opposition de la part de l'exécutif du parti et de son président, Pierre Bourgault, son travail constant auprès des militants lui a permis d'être élue par une forte majorité. C'est son implication à la base (elle a organisé de nombreuses assemblées de cuisine) qui a contribué à la faire connaître. Peu de temps avant le congrès, *Le Bélier* présentait les diverses tendances qui s'affrontaient à ce moment-là au sein du RIN. Cette entrevue a été réalisée par J. Grignon Martel.

Question: Vous avez déclaré que vous briguiez le poste de vice-président[e], parce que vous vouliez que le RIN demeure un parti démocratique et progressiste, et aussi pour qu'il devienne un véritable parti des travailleurs québécois dans ses structures, son programme et son action. Que pensez-vous des structures actuelles du RIN?

Réponse d'Andrée Ferretti: Les structures du parti, tout en étant très démocratiques en théorie, n'ont pas toujours bien fonctionné dans les faits. Cela est dû en partie au manque d'organisation dans les régions et également à la carence de véritables mécanismes de consultation. Le RIN n'est pas comme les vieux partis : il repose essentiellement sur le militantisme de ses membres. Il est donc essentiel que les membres participent à l'élaboration des politiques. Si je suis élue, je proposerai que les comités nationaux soient organisés selon le principe suivant : que chaque comité soit composé d'un directeur national et, en plus, d'un directeur par région. Les délégués seraient élus par leur conseil régional respectif sur présentation d'un projet. En somme, je proposerai une décentralisation des comités au moment de la consultation.

Q. : Vous parlez de décentralisation au niveau des comités. Mais sur le plan de la prise de décisions, trouvez-vous, par exemple, que l'exécutif national a suffisamment de pouvoirs par rapport au conseil central ?

R. : Il est normal que le conseil central ait priorité sur l'exécutif puisqu'il est, entre deux congrès, l'autorité suprême du RIN. L'exécutif est là avant tout pour exécuter la volonté des membres. C'est pourquoi je ne suis pas contre la réduction du nombre de directeurs nationaux. Le conseil central doit être majoritaire.

Q. : Et au point de vue de son action, que reprochez-vous au RIN ?

R. : Depuis les élections jusqu'à la visite du général de Gaulle, le RIN s'est caractérisé par son immobilisme. Il faut continuer l'action entreprise depuis juillet. Le RIN doit être présent partout. Je me présente avec un programme d'action précis. Il n'est encore que sur papier, mais mon passé prouve que mes projets sur papier deviennent des réalisations.

Q. : Vous avez un projet précis en ce qui concerne la stratégie. Comment trouvez-vous notre stratégie actuelle ?

R. : Au dernier congrès, les membres ont adopté une résolution visant à créer un nouveau comité de stratégie, en précisant qu'un tel comité devrait étudier globalement les fondements mêmes de notre orientation et de notre action, c'est-à-dire étudier qui sont les Québécois et quelle classe notre action doit viser. Puis, élaborer un programme qui nous permette d'atteindre cette classe et apporter des solutions concrètes à ses problèmes. Malheureusement, tout reste à faire. Le comité de stratégie actuel s'est bien peu préoccupé de la volonté du congrès. Son directeur n'a jamais cherché à trouver des membres pour son comité. Le seul projet qu'il a présenté en février proposait de tenir douze conventions de comté dont seulement quatre ont eu lieu jusqu'à maintenant.

Q. : Pourquoi vous êtes-vous prononcée contre une éventuelle fusion du RIN avec le Ralliement national ?

R. : Il faut bien voir ce qu'est le Ralliement national[1]. Il est composé de membres dissidents du RIN qui nous avaient créé de gros problèmes en 1964. Il est en outre composé de créditistes qui se sont séparés de Réal Caouette pour suivre Gilles Grégoire. En général, il y a alliance entre des forces égales. Le Ralliement national est un parti faible et sans idéologie. Le RIN a une structure, une organisation, des militants, un programme. Il est la principale force actuelle pour faire l'indépendance. À la suite des derniers événements (démission de François Aquin, déclaration de René Lévesque, etc.), il faut que le RIN continue d'être réellement progressiste pour intéresser tous ceux qui, dans l'avenir, en arriveront aux mêmes options. Mieux vaut garder la porte ouverte à gauche que de faire des compromis pour un petit groupe de réactionnaires.

Q. : Jugez-vous qu'en ce moment il y a une lutte interne au RIN ?

R. : Je ne crois pas qu'il y ait lutte sur les questions fondamentales d'orientation et d'organisation. Mais il y a une crise d'autorité, un fossé qui s'est créé entre la direction et la base. Comme la force du parti repose sur le militantisme, il est important que les militants soient à la tête du parti. [...]

Le Bélier, vol. 1, n° 6, septembre 1967, p. 3.
1. Le Ralliement national (RN) est fondé le 13 mars 1966. Ce parti né de la fusion du Ralliement créditiste québécois et du Regroupement national (fondé le 27 septembre

1964 par des dissidents du RIN) connaît une direction collégiale avec Laurent Legault et René Jutras. Gilles Grégoire, ex-député créditiste fédéral, en devient le chef le 21 août 1966, jusqu'à la fusion avec le Mouvement souveraineté-association (MSA) de René Lévesque, le 4 août 1968.

Nous sommes doublement colonisés et exploités en tant que Québécois et en tant que travailleurs

Depuis l'expulsion de René Lévesque du Parti libéral, en septembre 1967, et la fondation du Mouvement souveraineté-association (MSA) par celui-ci, en octobre 1967, le débat sur la nécessité de l'union des forces indépendantistes est à l'ordre du jour. Andrée Ferretti a prononcé ce discours lors de l'assemblée publique du RIN tenue le 12 décembre 1967 au Centre Paul-Sauvé. Pierre Bourgault et François Aquin étaient les autres orateurs.

Quoi qu'en aient pensé et voulu messieurs les Anglais, la rébellion de 1837-1838 n'a jamais été complètement écrasée. Un profond et combien naturel besoin de liberté a toujours hanté la conscience québécoise. Et depuis quelques années, un grand vent de libération a ranimé cette flamme parfois vacillante mais toujours vivante au cœur de tous les Québécois humiliés.

Aujourd'hui, nous sommes des milliers à non seulement désirer cette liberté, mais à travailler à la conquérir. Et si nous devons travailler, si nous devons lutter pour sortir de notre aliénation, pour nous libérer, c'est que des gens ont de puissants intérêts à nous maintenir dans la sujétion, à nous exploiter, à nous refuser cette liberté.

Et qui sont ces colonisateurs, ces exploiteurs qui aujourd'hui possèdent notre pays, le développent, le gouvernent au profit des intérêts de leur classe, contre les intérêts de la majorité de la nation québécoise, contre les intérêts des travailleurs québécois? Dans quelles structures politiques et économiques et par quels mécanismes s'exercent aujourd'hui cette domination? En un mot, quelles sont les forces en présence et comment les travailleurs québécois devront-ils s'organiser pour triompher de leurs ennemis?

Voyons d'abord quel est le principal ennemi du peuple québécois, de sa libération. Quel est le véritable obstacle à une vraie indépendance du Québec? C'est l'impérialisme américain dont les visées sur le Québec remontent au XVIIIe siècle. Mais contrairement à celle des Anglais, la conquête américaine n'a pas été militaire. Au lieu de soldats, ce sont des financiers que les Yankees nous ont envoyés, comme dans le reste du Canada, d'ailleurs, dont ils contrôlent complètement aujourd'hui les trois quarts de l'économie et exercent un contrôle indirect sur le quart qui reste.

Cependant, alors que cet impérialisme, par le jeu de la politique outaouaise, faisait de l'Ontario une province industrialisée atteignant dans son développement économique un certain équilibre entre la production et la consommation, il faisait du Québec, comme pour les pays sous-développés, un réservoir de matières premières et de main-d'œuvre à bon marché.

Les investissements américains au Québec, comme ailleurs dans le monde, quelles qu'en soient la nature et la fonction précise, ne sont jamais faits dans un but d'entraide, mais de conquête et de domination pour le profit toujours plus considérable des grands monopoles. Voilà à quoi servent les 600 millions de dollars américains qui énervent tant Jean Marchand et font ramper Daniel Johnson et toute notre classe dirigeante, fédéraliste ou pas. Six cents millions qui servent à financer l'exploitation de notre pays au profit des autres et font de nous des valets. [...]

En effet, plus de 50 % de nos exportations proviennent du secteur primaire et vont alimenter les industries de transformation américaines qui fabriquent : a) les pièces d'équipement nécessaires à l'exploitation de nos richesses naturelles et diminuent d'autant plus la valeur réelle des investissement américains ; b) la majorité des biens de consommation durables (industries qui créent les emplois les plus nombreux et les plus rémunérateurs) que nous sommes obligés de nous procurer à crédit la plupart du temps, crédit obtenu d'institutions également contrôlées et administrées par des firmes étrangères qui, par cet autre instrument, augmentent leur capital à même les salaires des travailleurs québécois, etc.

Pourtant, cette domination américaine s'exerce au Québec dans le cadre fédératif, c'est-à-dire dans une structure politique dont les leviers sont entre les mains de notre second ennemi important et puissant qui est la bourgeoisie anglo-saxonne, dont les membres sont les gérants directs de l'impérialisme américain au Québec, ceux qui occupent les postes clés dans l'administration des affaires économiques québécoises et ceux qui, par conséquent, bien qu'ils soient au Québec numériquement minoritaires, dominent complètement la politique québécoise. Puisque dans les États modernes le pouvoir économique est le fondement de tous les autres pouvoirs.

Et ces Canadiens anglais du Québec, nos Rhodésiens à nous, comme disait si bien quelqu'un, qui sont ceux qui ont écrasé la Rébellion de 1837-1838, que feront-ils cette fois-ci ? En tous les cas, ils ne se laisseront pas déposséder sans se défendre farouchement. Pour le moment, ils exercent leur force contre nous en essayant d'angliciser au plus vite les néo-Québécois de toutes origines et ainsi nous noyer sous le nombre. Ils font marcher les membres francophones de la Chambre de commerce et font chanter les dirigeants des vieux partis dont ils contrôlent les caisses électorales.

Peut-être trouveront-ils bientôt avantage à collaborer à une indépendance politique d'un Québec maintenu dans une totale dépendance économique. Mais s'ils savent par expérience qu'il est facile d'acheter une poignée de politiciens, ils s'apercevront bientôt qu'on n'achète pas longtemps tout un peuple qui aspire à la prospérité et à la liberté pour tous ses enfants et non pour une minorité de petits-bourgeois, plus soucieux de leur niveau de vie que de l'épanouissement de la nation québécoise entière. [...]

Or si l'aspiration fondamentale à la libération est le fait plus ou moins conscient de la majorité des Québécois — la visite du général de Gaulle nous l'a révélé —, il se trouve que c'est la petite bourgeoisie québécoise, même si elle ne forme que 9 % de la population, qui exprime les revendications nationalistes du peuple québécois, car elle seule possède une conscience de classe agissante et des cadres politiques structurés. La classe ouvrière commence seulement à prendre conscience que ses intérêts divergent radicalement des intérêts capitalistes et elle n'a pas encore d'organisation politique propre, si l'on excepte le RIN qui, par ses structures, ses cadres, ses objectifs et la composition de la majorité de ses membres, est en train de devenir un véritable parti des travailleurs.

Or cette petite bourgeoisie nationale, structurée politiquement, n'a aucune véritable assise économique. Elle est confinée à la petite industrie, au commerce de détail, aux coopératives, aux caisses populaires, à quelques institutions financières fragiles comme la SGF et la SOQEM. Par conséquent, elle n'a pas la force de déloger l'impérialisme américain, véritable maître des destinées politiques et économiques québécoises. Cependant, si elle réalisait l'indépendance du Québec, notre petite bourgeoisie pourrait remplacer la bourgeoisie *canadian*, comme gérante et administratrice directes de l'impérialisme américain. Et c'est pourquoi de plus en plus, les membres et la clientèle des vieux partis, pour les plus radicaux, délaissent le Parti libéral et l'Union nationale pour joindre de nouvelles formations ou en créer d'autres, et pour les plus conservateurs, font d'énormes pressions sur leurs partis pour les forcer à réclamer toujours plus de pouvoirs d'Ottawa. [...]

Donc, actuellement, toute notre petite-bourgeoisie est nationaliste ; ses membres les plus liés à l'oligarchie anglo-saxonne, et qu'on retrouve surtout dans le Parti libéral, s'opposent encore à l'indépendance du Québec et se contenteraient d'une Constitution renouvelée. Les autres, qui se recrutent dans l'Union nationale, le RN, le groupe Lévesque et quelques-uns dans le RIN, veulent un profond changement dans la Constitution et même, les membres de l'UN en moins, réclament l'indépendance politique et juridique du Québec.

Or que signifie aujourd'hui une indépendance politique sans libération économique ? Le Canada est un pays souverain, ce qui n'empêche pas son économie d'être contrôlée à 80 % par les monopoles américains et ça l'oblige à fournir des armes et du napalm pour la guerre contre le Vietnam. Et aujourd'hui ça l'oblige à entrer, avec l'économie américaine, dans une longue période de récession qui l'oblige à surtaxer la population parce qu'il n'a pas les pouvoirs de surtaxer les compagnies et les exploitations minières en grande partie propriétés américaines. Ça l'oblige à faire des coupures dans son budget et non pas au chapitre de la défense, par exemple, mais à celui des services sociaux, à celui des investissements qui stimulent la croissance, ce qui crée du chômage, etc. [...]

Or précisément, si les travailleurs québécois appuient le projet d'indépendance du Québec, c'est qu'ils revendiqueront à travers lui la liberté totale, l'égalité sociale, la justice, la prospérité, c'est-à-dire la récupération des richesses du Québec, la création d'une économie saine où il y aura équilibre entre la production nationale et la consommation, un régime de plein-emploi, une politique de régionalisation afin que Montréal cesse de devenir ce monstre qui dévore tout le reste du Québec.

Si les travailleurs québécois appuient le projet d'indépendance du Québec, ce sera pour que leur reviennent dans un partage équitable les profits acquis dans le développement économique du Québec. Or cette redistribution du profit, cette socialisation des profits tirés de l'exploitation des richesses naturelles du territoire, de notre territoire, et des industries secondaires ou tertiaires, ne peut finalement être possible que par la socialisation de la production.

Il n'y a pas un seul capitaliste au monde qui acceptera de partager ses profits avec les travailleurs qu'il emploie. Et il se trouve qu'au Québec, les travailleurs, c'est le peuple québécois, et les capitalistes exploiteurs sont les *Canadians* et les Américains. Et une simple indépendance politique ne changerait rien à cela. Nous sommes doublement colonisés et exploités en tant que Québécois et en tant que travailleurs, et seule une révolution nationale, à la fois politique, économique et sociale, pourra nous libérer de cette double domination.

Or, comme nous l'avons vu, la puissance capitaliste anglo-saxonne, américaine et *canadian* est solidement établie au Québec. Les intérêts qu'elle défend ici sont extrêmement importants pour son propre développement économique. Les Américains ont absolument besoin des produits de nos ressources naturelles pour alimenter leurs usines de transformation et maintenir le taux économique chez eux. Ils ont surtout besoin de plus en plus de notre fer et ils voudront continuer à se l'approprier au bas prix actuel. Ils ont aussi besoin de notre important marché de consommation. Quant aux Canadiens anglais du Québec, ils considèrent Montréal comme le prolongement industriel de Toronto et une grande partie de leurs investissements sont engagés dans des entreprises montréalaises de toutes sortes. [...]

Donc, ils lutteront farouchement pour conserver et même renforcer leur domination économique. Pour faire face à ces puissances organisées et profondément conscientes de leurs intérêts de classe, il faut organiser une autre force également consciente de ses intérêts de classe et qui sont à l'opposé des intérêts yankees et *canadians*. Cette force ne peut se constituer que dans l'organisation d'un solide parti des travailleurs québécois. Et on n'organise pas un parti de travailleurs comme un parti de bourgeois. On ne rejoint pas les travailleurs comme on rejoint une classe déjà structurée et qui utilise à ses fins propres les moyens de diffusion et de propagande payés par l'ensemble de la nation, mais sous son seul contrôle. [...]

C'est dans leur milieu de travail qu'on rejoint les travailleurs et aussi à travers leurs syndicats, lorsque ces syndicats ne sont pas trop bourgeois. Malheureusement, la majorité des travailleurs québécois syndiqués sont membres de la FTQ, celle-ci n'étant rien d'autre qu'un secrétariat provincial pourvoyeur de certains services à des syndicats locaux ou à des fédérations de syndicats. Ceux-ci appartiennent d'abord à d'autres structures canadiennes et américaines et, malgré des déclarations de Louis Laberge et de Gérard Rancourt, gardent des liens bizarrement étroits avec les syndicats les plus réactionnaires du monde (notamment avec l'AFL-CIO, qui pratique la discrimination raciale) qui défendent l'impérialisme américain partout au monde et collaborent avec la CIA. Ils se sont bien gardés, cependant, de faire un véritable front commun avec la CSN lors de la promulgation des *bills* 25 et 1 proposés par le gouvernement de Johnson, ce monstre d'hypocrisie, qui crie sans cesse contre Ottawa pour mieux nous vendre à New York et qui, de toute manière, ne nous libère ni de l'un ni de l'autre. Ces syndicats sont quand même des structures et des cadres dans lesquels il est possible de rejoindre les travailleurs québécois, grâce surtout aux dirigeants des paliers

intermédiaires qui sont de plus en plus nombreux à prendre conscience que le problème des travailleurs québécois n'est pas avant
tout salarial, mais qu'il est politique et économique. Ils sont de plus
en plus nombreux, ces militants syndicaux, à vouloir nous rencon-
trer et à travailler avec nous. C'est avec eux que nous devons présen-
tement partager nos efforts pour créer cette force nouvelle qui ne
craindra pas de déloger les intérêts établis, de renverser l'ordre actuel
pour le remplacer par un ordre nouveau qui assurera une véritable
libération de la majorité des Québécois. [...]

Comme on le voit, une révolution, même si elle se fait en
fonction d'objectifs positifs et pour le plus grand bien d'une majorité, se fait nécessairement aussi contre quelqu'un. On ne peut servir
deux maîtres à la fois : les intérêts anglo-saxons et les intérêts des
Québécois. Dire le contraire pour ne faire peur à personne et faire
plaisir à tout le monde, c'est tromper le peuple, c'est lui donner
l'illusion que tout sera facile, alors qu'au contraire tout sera difficile.

Toutes les révolutions du monde, et celle du Québec n'y échap-
pera pas, se sont toujours faites dans le travail, l'effort, le courage et
l'abnégation, parfois dans le sang, mais jamais aucune ne s'est
réalisée dans la facilité avec des fleurs et des bonbons.

Les intérêts des classes dominantes — américaine, *canadian* et
québécoise — se partagent actuellement les immenses richesses
matérielles, techniques et humaines du Québec. Nous, nous voulons que désormais seuls les travailleurs québécois possèdent, contrôlent, administrent les pouvoirs politiques et économiques du
Québec afin d'atteindre à leur plein épanouissement social et
culturel. Nous lutterons, quel qu'en soit le prix, contre tous ceux
qui, directement ou indirectement, s'y opposeront, qu'ils soient
impérialistes américains, colonialistes *canadians* ou petits-bourgeois
canadiens-français. La liberté collective et individuelle de six
millions de Québécois en dépend.

Vive la révolution québécoise !

Vive le RIN !

Parti pris, vol. 5, n° 5, février 1968, p. 35-39.

Pour un RIN démocratique, populaire, libérateur

Pendant la dernière année de son existence, le RIN est traversé par une crise idéologique qui oppose les partisans de Pierre Bourgault à ceux d'Andrée Ferretti. En mars 1968, un congrès spécial est prévu pour régler la situation. Le journal du RIN, *L'Indépendance*, offre aux parties en présence l'occasion de s'exprimer sur la situation. Andrée Ferretti expose ses vues dans le texte reproduit ici. Avant l'issue du congrès spécial, Andrée Ferretti et son équipe vont quitter le parti et fonder le Front de libération populaire.

Nous serons tous réunis les 30 et 31 mars prochains à l'occasion d'un congrès spécial convoqué par le conseil central du parti, dans le but d'analyser les problèmes qui divisent actuellement notre parti et d'y trouver ensemble la solution.

Ce débat doit absolument être l'occasion d'un approfondissement du rôle de notre parti dans la marche de la nation québécoise vers sa libération. Nous devrons y préciser nos objectifs et y définir les modes d'organisation et les moyens d'action adéquats à leur réalisation. Ce débat devra enfin contribuer à faire progresser la démocratie dans le parti et non être l'occasion de régler un simple conflit de personnalités.

OBJECTIFS

Le rôle essentiel du RIN, aujourd'hui comme hier, est de lutter pour la décolonisation et la libération de la nation québécoise. Cette libération devra se faire sur les plans politique, économique et culturel.

La libération nationale du peuple québécois se fera dans un rapport de force où les travailleurs, qui constituent la très grande majorité du peuple québécois, auront à se débarrasser de l'emprise qu'exercent sur eux les grandes entreprises canadiennes et américaines. Cela demande que les travailleurs acquièrent une conscience de leurs intérêts, qui sont ceux de la nation québécoise, et qu'ils s'organisent politiquement pour pouvoir lutter efficacement contre un gouvernement représentant les intérêts fédéralistes de la minorité qui exploite et domine la culture, l'économie et la société québécoise.

C'est dans ce sens que le RIN doit continuer, comme il a commencé à le faire depuis quelque temps, à appuyer concrètement les revendications des travailleurs et à les encadrer politiquement par une politisation et un travail incessant dans les syndicats, les comités de citoyens et les milieux de travail les plus divers. Seuls les travailleurs, qui sont dominés par les entreprises étrangères, tout comme le peuple québécois dans son ensemble est dominé par le colonialisme anglo-canadien, ont la force véritable pour renverser le carcan confédéral et libérer le Québec. Les travailleurs québécois sont de plus en plus à l'avant-garde de la nation québécoise. C'est pour cela que le RIN, qui est le parti qui lutte pour la libération du peuple québécois, doit devenir de plus en plus le parti des travailleurs. Le Québec indépendant sera le Québec de la majorité du peuple québécois, ce sera un Québec gouverné par un État représentant pleinement tous les travailleurs de notre pays, qu'ils soient ouvriers, cols blancs, techniciens, étudiants, agriculteurs ou enseignants.

NÉGOCIATIONS

C'est en ayant en tête cette définition du rôle et des objectifs du RIN qu'il faut négocier avec le Mouvement souveraineté-association. Si le MSA accepte d'adopter un programme et une constitution compatibles avec les besoins et les aspirations du peuple québécois, si le MSA veut combattre pour la libération du Québec, il faudra en arriver au plus tôt à une fusion de laquelle naîtra un nouveau parti, plus fort et plus vigoureux.

Si le MSA n'est pas prêt à accepter ces objectifs essentiels du RIN, il faudra alors en arriver à la formation d'un front commun qui, au moment des prochaines élections, se battra sur la base d'un programme minimum contre les forces fédéralistes qui nous maintiennent dans la sujétion la plus écœurante et dont nous sommes enfin sur le point de nous débarrasser définitivement. Pour cela, le RIN et le MSA pourraient certainement s'entendre sur un programme comportant l'abolition du régime confédéral et la réappropriation des biens du gouvernement fédéral par le Québec.

L'Indépendance, vol. 6, n° 10, 15 au 31 mars 1968, p. 3.

Pour une révolution québécoise

Le Front de libération populaire a été fondé par Andrée Ferretti en 1968. Ce mouvement avait comme objectifs l'avènement d'une société québécoise libre et l'instauration d'une démocratie populaire. Pour en devenir membre, il fallait s'identifier aux travailleurs et à leur lutte pour la prise du pouvoir. Le journal _La Masse_ était publié par le FLP.

Il est évident que le but fondamental de la révolution québécoise est de créer une société complètement nouvelle où l'homme québécois, grâce à un nouveau mode de production, de transformation et de distribution des biens et des richesses, sera enfin libre et responsable, où l'homme québécois participera activement et consciemment à l'organisation et au fonctionnement de ses institutions politiques, économiques, sociales et culturelles en fonction de ses intérêts et de ses besoins.

Cependant, avant de pouvoir réaliser cet objectif, il est une étape essentielle que nous devons franchir et sans laquelle tout n'est que rêve et belles paroles. Il nous faut d'abord désorganiser totalement le système actuel.

En effet, toute l'organisation actuelle de notre vie nationale est sous le contrôle absolu direct ou indirect d'une minorité de capitalistes étrangers qui exploite nos richesses matérielles et humaines à son seul profit et aux moyens de structures, d'institutions et de lois qu'elle a créées à cette fin, en se servant de la démagogie, de l'électoralisme et de l'argent que notre travail lui a permis de faire et d'accumuler.

Par conséquent, ce n'est pas en faisant une croix sur un bulletin de vote que les travailleurs québécois renverseront l'ordre établi. Le réalisme politique, dans la lutte pour la libération d'un peuple, ce n'est pas de chercher les meilleurs moyens de profiter du système, mais de prendre les moyens de le détruire.

Pas plus qu'elle peut se faire à l'intérieur des cadres et des lois du système établi, la révolution ne peut être le fait de l'action d'anarchistes révoltés ou d'activistes patentés. Nous devons savoir où nous allons, pourquoi nous y allons et comment y aller. Nous devons franchir sans cesse de petites étapes à l'intérieur des deux grandes étapes.

Le premier pas important à faire est de connaître à fond sur quoi repose le système actuel et d'en analyser concrètement toutes les contradictions, la force et les faiblesses, ici, au Québec, en 1968. En effet, si les lois du capitalisme et de l'impérialisme sont partout fondamentalement les mêmes, le capitalisme et l'impérialisme s'exercent au Québec dans des cadres et selon des mécanismes typiquement québécois. C'est ça qu'il faut connaître si l'on veut s'y attaquer efficacement. [...]

La révolution a avant tout besoin de vrais révolutionnaires. Notre premier rôle, à nous de l'avant-garde, est de nous bien former pour ensuite travailler efficacement à rendre le peuple québécois révolutionnaire.

La Masse, vol. 1, n° 1, juin 1968, p. 1.

La *Canadian democracy*
et les Québécois

Cet article a été écrit pendant la campagne électorale fédérale
qui a porté au pouvoir Pierre Elliott Trudeau, chef du Parti libéral
du Canada. Il exprimait l'opinion d'une grande majorité des
indépendantistes qui invitait les Québécois à boycotter l'élection.

Les Anglais s'emparèrent du Canada par les armes entre 1750 et
1760, et ils prirent possession du pays en 1763. Les Français
s'étaient installés surtout au Québec et ils avaient développé la vallée
du Saint-Laurent. Ces premiers Canadiens demeurèrent au Québec
après la conquête anglaise, de même que les conquérants, mais les
générations d'Anglais qui arrivèrent par la suite s'installèrent
d'abord en Ontario, puis se répandirent dans le reste du Canada.

DEUX NATIONS

Différents dès le début, ces deux groupes vécurent l'histoire du
Canada de manière bien différente : la différence entre les vain-
queurs et les vaincus, les dominateurs et les dominés, les exploiteurs
et les exploités.

De 1763 à 1791, ces deux nations eurent comme gouvernement un gouverneur nommé par Londres, qui se donnait pour rôle
de remettre tout le commerce, l'industrie et les terres aux arrivants
anglais. En 1791, Londres accordait aux Canadiens un gouvernement élu. Les Anglais de l'Ontario demandèrent un gouvernement
séparé, parce qu'ils ne voulaient pas être en minorité au Parlement ;
il y eut deux Canadas. Au Québec, le gouverneur annonçait la
dissolution des chambres plusieurs fois par année, jusqu'à ce qu'il
obtienne des députés plus obéissants, de plus en plus des Anglais,
car les Canadiens français étaient trop pauvres pour être députés
sans solde. L'Ontario s'endetta de plus de 400 millions de dollars
pour des routes et d'autres travaux publics. En 1842, Londres unifia

les deux Canadas et fit payer les dettes par le Québec. Les Anglais avaient de plus en plus la majorité dans ce nouveau Parlement.

En 1867, on fonda la Confédération avec quatre provinces dont trois à majorité anglaise et, au gouvernement central, les députés du Québec ne sont qu'un tiers de l'ensemble de la députation canadienne. Actuellement, les députés du Québec n'en sont plus qu'un quart. Les pouvoirs du gouvernement central étaient seuls souverains, cependant que ceux des provinces étaient d'ordre administratif sauf dans les domaines sociaux et culturels. Nous sommes toujours et de plus en plus en minorité à Ottawa où se prennent les décisions politiques, économiques, extérieures, etc.

UNE MINORITÉ INUTILE

C'est ainsi qu'en 1968, comme en 1867, le Québec une fois de plus, le 25 juin, tombera sous les coups hypocrites de la *Canadian democracy* : 190 députés du Canada anglais contre 74 députés du Québec. C'est ainsi qu'en 1968, la majorité anglaise au Parlement fédéral votera sans peine des projets de lois qui empiéteront sur les droits des Québécois, qui défavoriseront le développement économique du Québec à l'avantage des provinces anglaises et permettront, par exemple, la fermeture des chantiers maritimes de Lauzon pour accélérer la déportation des travailleurs québécois dans les autres provinces.

C'est ainsi que, comme au temps de la conscription, nos députés québécois, même s'ils faisaient front commun, par-dessus les intérêts de leurs partis respectifs, ne réussiraient pas à faire passer un projet de loi avantageux pour leurs concitoyens s'il ne favorise pas également ou plus les électeurs des provinces anglaises, ou pire encore s'il ne favorise pas d'abord les intérêts des quelque cinquante gros capitalistes anglo-canadiens du pays. Quelle que soit leur unité, leur détermination ou même leur génie, nos députés du Québec perdront toujours par 190 voix contre 74. Contre 74, si l'on veut avoir l'illusion de croire que les élus anglais des comtés anglais de la Belle Province voteraient avec eux.

NE VOTONS PAS

Nous sommes minoritaires au Canada. Nous sommes majoritaires au Québec. Les pouvoirs sont à Ottawa, les charges à Québec. Donnons à la majorité des Québécois un gouvernement ayant tous les pouvoirs d'un État souverain. Sortons de la Confédération. Pour cela, n'acceptons plus de jouer la farce de la *Canadian democracy*. Refusons d'envoyer des représentants du Québec à Ottawa. N'allons pas voter le 25 juin. Réservons notre énergie pour construire un nouveau Québec libre et démocratique où « le p'tit gars » du comté de Gamelin et « la voix des pauvres » du comté de Laurier auront des chances réelles de se faire entendre.

La Masse, vol. 1, nº 3, juin 1968, p. 3.

Lendemain d'élections

Aux élections générales de 1973, le Parti québécois réussit à augmenter son pourcentage de vote populaire (il passe de 23 à 30 %), mais... son nombre de députés passe de sept à six. La déception chez les partisans de l'idéal indépendantiste est très grande.

Trente octobre 1973. Neuf heures. Allongée sur le tapis, triste infiniment, j'écoute les *Polonaises* de Chopin. À la fois effondrée et révoltée, je suis difficilement le fil d'une pensée incohérente qui m'appelle aussi bien à la guerre qu'à l'abandon. Je pleure rageusement. Je pleure silencieusement, j'étouffe mes cris. La musique m'abat, me soulève, me calme, m'amène au seuil de l'espoir, au cap de la violence et me ramène à ma tristesse de vaincue.

Je me dis que Chopin vaut la Pologne. Mais je pense aussitôt aux millions de Polonais, les vivants et les morts. À ceux qui ont souffert et qui souffrent pour la liberté de leur patrie sans cesse menacée depuis des siècles. Je me dis que Chopin, patriote à fleur d'enthousiasme, vivant et mourant à l'étranger, ne vaut pas le plus obscur Polonais souffrant et mourant en 1772, assassiné par les impérialismes prussien, russe et autrichien ; souffrant et mourant en 1831, écrasé par l'impitoyable répression russe ; souffrant et mourant de 1939 à 1945, livré à la fureur d'Hitler.

Je pleure et je pense à la tristesse de tous mes camarades, particulièrement de ceux qui sont en prison. En prison, parce qu'ils ont aimé trop follement ce qu'ils aiment plus que tout : ce peuple de travailleurs exploité et colonisé jusqu'à la moelle, jusqu'à être satisfait de son sort. Je pense à ceux qui, depuis trois ans, cinq ans, dix ans dans certains cas, ne cessent de croire jour après jour à la victoire de l'homme québécois. Je pense à eux et à moi qui n'avons jamais cru à la lutte électoraliste comme moyen efficace de transformation fondamentale de la société. Je pense à eux qui ont refusé les compromis et à moi qui les ai tous faits (j'étais responsable de l'organisation électorale depuis le mois d'août dernier de 15 comtés de la région Montréal-Centre pour le PQ). Malgré l'échec inévitable de leurs actions désespérées, après l'échec également inévitable de mon naïf espoir, que nous avions raison. Soudain, les accords triomphants de la *Polonaise* en *la* majeur, opus 40 me transportent de joie. Ni la victoire ni la défaite n'ont d'importance. Seule compte la lutte. La lutte toujours recommencée face à l'ennemi toujours présent.

Ce beau principe m'achève et je m'étrangle dans mes larmes. Je ne veux pas avoir raison. Je veux que mon peuple vive aujourd'hui dans la liberté et la dignité.

Je suis triste infiniment et je me demande ce que pensent ce matin les huit cent cinquante mille Québécois qui ont dit oui à cette liberté et à cette dignité. Je me demande ce que pensent les dix mille Québécois qui depuis tant d'années ont milité avec ferveur et ténacité pour l'avènement d'un pays qui leur appartienne. Je me demande ce que pense ce matin René Lévesque, ce Québécois que nous aimons entre tous et malgré tout.

Où sont-ils tous ? Que font-ils ?

Seul, inorganisé, défait, huit cent cinquante mille fois un à la maison, au travail, à l'école, que fait-il ce Québécois de tous les jours? D'avant et d'après le 29 octobre 1973? D'avant et d'après le 16 octobre 1970? D'avant et d'après 1867? D'avant et d'après les Patriotes? D'avant et d'après les plaines d'Abraham?

Trente octobre 1973. Dix heures. Je fais taire Chopin. Huit cent cinquante mille fois seule, humiliée, fatiguée, triste, mais plus obstinée, plus déterminée que jamais à le briser, je reprends le joug.

Trente octobre 1973. Seize heures. J'ai revu des camarades. Nous en rencontrerons d'autres ce soir, demain, après-demain. Nous nous rassemblerons jusqu'à ce que nous soyons ensemble huit cent cinquante mille Québécois unis et organisés. Nous vaincrons.

Le Devoir, 1er novembre 1973, p. 4.

Aux dirigeants et membres du PQ

J'étais alors vice-présidente du Rassemblement pour l'indépendance nationale et je m'opposais farouchement à d'autres dirigeants de notre mouvement, qui tendaient de façon de plus en plus marquée à le transformer en parti électoraliste traditionnel.

M. Pierre Renaud, en ce temps-là secrétaire du RIN, et actuellement président du conseil exécutif du PQ, dans la confusion où il se trouvait quant à la signification des notions de « parti électoraliste » et de « parti qui prend le pouvoir au moyen d'une élection générale », croyait probablement me rappeler à l'ordre en me conseillant de ne jamais perdre de vue qu'on exerce le pouvoir de la manière dont on le prend. Sans doute ne savait-il pas si bien prédire.

Le PQ, aussi démocratique soit-il, surtout à cause de son mode de financement, n'a jamais jugé utile de consacrer une part importante de ses ressources humaines et de son budget à la formation politique de ses membres et, à travers eux, de l'ensemble des Québécois. En dehors des périodes électorales, il n'a toujours massivement mobilisé ses membres que pour ses campagnes de financement.

Le PQ se retrouve aujourd'hui au pouvoir. Comment l'exerce-t-il?

Par rapport à notre triste histoire, il constitue sans aucun doute le meilleur gouvernement que le Québec ait jamais eu. Ce qui ne veut pas dire, si on le juge en regard des besoins politiques et sociaux de la majorité des Québécois, que ce soit un bon gouvernement.

Par exemple, que se passe-t-il aux chapitres de notre souveraineté économique et de notre souveraineté politique?

Avec une caisse électorale suffisamment garnie et bien acquise[1], le parti au pouvoir jouit tout au plus d'une certaine liberté de manœuvre pour contrer les pires abus des puissances capitalistes à l'œuvre dans notre milieu. Par contre, aucune des mesures appliquées au redressement de notre économie, depuis novembre 1976, n'indique que nous soyons vraiment engagés dans le processus de réorganisation profonde de toute la sphère de nos activités économiques qui, telle qu'annoncée dans le programme même du parti, en corrigerait les faiblesses structurelles.

En ce qui concerne la souveraineté politique, le recul est si net par rapport au projet initial et fondateur du parti, et par rapport à la promesse faite pendant la dernière campagne électorale d'appeler le peuple québécois à se prononcer sur l'accession à la souveraineté, qu'il provoque le scandale. En conditionnant totalement la souveraineté à l'association, le PQ hypothèque gravement notre avenir. Que nous répondions non au référendum, il n'a même plus une solution progressiste de rechange à nous offrir. Que nous répondions oui et que les négociations achoppent, il doit revenir devant le peuple et lui dire que, contrairement à ce qu'il lui affirmait auparavant, la souveraineté est possible sans l'association. Quelle sera alors sa crédibilité?

Comment expliquer cette impuissance du PQ à exercer le pouvoir en fonction de ses objectifs, en fonction des intérêts de la majorité des Québécois? Sinon par la manière dont il a pris le pouvoir, c'est-à-dire sans avoir mobilisé une population dont il a peur, parce qu'il ne s'est jamais donné les moyens efficaces de la rejoindre, de la sensibiliser, d'intégrer ses principales revendications en la faisant participer à l'élaboration et à la défense d'un nouveau modèle de société. Parce qu'il a pris le pouvoir sans s'être muni des instruments concrets de transformation de notre société, à savoir l'instauration d'un vaste consensus et d'une forte motivation des Québécois autour d'un projet de libération nationale clairement défini, profondément compris et ardemment voulu.

Je suis à la fois membre du PQ et une militante pour l'indépendance politique, économique, sociale et culturelle du Québec. Avant que cela ne devienne irrémédiablement contradictoire, je me permets de rappeler aux dirigeants de mon parti et à tous ses membres de ne jamais perdre de vue qu'un peuple ne peut accéder à la souveraineté que s'il en assume sans détour toutes les exigences et toutes les conséquences.

Le Devoir, 17 octobre 1978, p. 4.
1. Andrée Ferretti fait ici référence au régime de financement des partis politiques qui existait avant l'adoption de la loi sur le financement des partis politiques en 1978. Le Rassemblement pour l'indépendance nationale et le Parti québécois ont été les premiers partis a s'autofinancer grâce au financement populaire et ainsi renoncer aux contributions des intérêts privés.

Égales, certes, mais à des hommes libres

Le 27 octobre 1978, au cours d'une assemblée organisée pour les femmes et par les femmes des régions Montréal-Centre et Montréal–Ville-Marie pour marquer le 10ᵉ anniversaire du Parti québécois, Andrée Ferretti prononçait une allocution très remarquée sur le rôle des femmes, en particulier sur le thème du document publié par le Conseil du statut de la femme, *Pour les Québécoises: Égalité et indépendance.*

Égalité et indépendance paraît. Que voilà un document révolutionnaire, s'exclame avec enthousiasme René Lévesque. J'ignore comment vous avez réagi à une telle déclaration. Pour ma part, je vous assure que j'ai été surprise et ravie de constater qu'il y a au moins une révolution qui trouve grâce à ses yeux et que ce soit précisément la nôtre. Un peu méfiante, je me suis toutefois demandé si ce n'était pas parce qu'elle n'est encore que sur papier. Ça fait moins peur au monde, c'est sûr, et sans doute aussi à notre chef bien-aimé. Qui a peur de qui? N'est-ce pas en train de devenir la question qui vaut le million? Enfin, tant que ce ne sera pas celle du prochain référendum. Cependant, comme nous ne sommes pas ici à un spectacle de Jean-Guy Moreau, je ne pousserai pas plus loin ma petite caricature.

Égalité et indépendance a le mérite de démontrer que la question féminine n'est pas une question marginale, mais un problème qui relève de l'organisation de la société dans son ensemble. Précisément pour cette raison, je vais tenter ce soir de montrer comment notre lutte pour la libération des femmes et notre lutte pour l'indépendance politique, économique, sociale et culturelle du Québec sont des luttes convergentes qu'il nous faut mener de front.

Il est bien évident que nous devons continuer à lutter contre la domination spécifique qui s'exerce contre nous dans tous les aspects de la vie publique et privée. Mais il devient également évident que toutes les réformes amorcées depuis, disons, trente ans n'ont pas modifié fondamentalement notre statut dans la société. Ne devons-nous pas nous demander si, au contraire, ces réformes, en atténuant les injustices les plus criantes, ne constituent pas une nouvelle manière plus subtile, plus efficace, plus moderne de nous maintenir dans notre situation d'infériorité.

Nous devons nous défaire de l'illusion que nous pouvons attendre les changements que nous souhaitons d'une société comme la nôtre. Nous ne devons plus nous limiter à seulement remettre en cause notre statut dans cette société en réclamant plus d'égalité, plus de pouvoir. Nous devons remettre en cause la société elle-même pour en bâtir une nouvelle où nous aurons aussi pleinement droit à notre différence. Notre émancipation et celle de la majorité des Québécois sont liées et elles dépendent de notre détermination à poser les problèmes dans des termes politiques globaux, tout à fait nouveaux et qui correspondent à ce que nous sommes en tant que femmes québécoises.

C'est en effet un euphémisme que de dire que nous ne vivons pas sur la planète Mars, ou en Chine, ou même en Ontario. Nous vivons au Québec dans une société colonisée, dominée politiquement et économiquement par des intérêts étrangers qui accroissent sans cesse et sans limites leurs profits et leurs pouvoirs au détriment des besoins et des aspirations de l'ensemble des Québécois. Nous contenter de réclamer des droits et des pouvoirs égaux à ceux des hommes dans notre société, c'est laisser croire que la condition des hommes québécois est juste et satisfaisante. Or pensons concrètement à nos pères, à nos frères, à nos maris, à nos amants, à tous les hommes de notre vie et de notre histoire. Pouvons-nous dire honnêtement que ce sont des hommes libres, qu'ils ne subissent pas comme nous les effets du colonialisme et de l'exploitation capitaliste? Voulons-nous vraiment ressembler à ces pauvres vaincus qui n'ont jamais su relever la tête? Voulons-nous même ressembler à leurs chefs qui, tout au cours de notre histoire et encore aujourd'hui, dès qu'ils exercent le moindre pouvoir, qu'il soit intellectuel ou politique, se détournent de nos grands projets collectifs pour ne plus se consacrer qu'à améliorer notre situation plutôt que de s'appliquer à la transformer?

Non, mesdames, nous ne serons jamais libres ni indépendantes dans une société qui vit dans un état de dépendance généralisée. Nous devons, c'est certain, mener sans relâche, nos luttes spécifiques. [...] Nous devons toutefois les inscrire dans un combat plus radical qui se situe dans la perspective de l'abolition de l'oppression nationale et de l'exploitation capitaliste. Nous, femmes, ne savons-nous pas mieux que personne que sans indépendance économique, nous ne pouvons exercer la moindre souveraineté?

Cependant, si nous ne voulons pas, aux jours des grands bouleversements, nous retrouver dans la situation des Algériennes, qui ont pourtant été des combattantes exemplaires, selon Jacques Berque, le grand analyste de la révolution algérienne, si nous ne voulons pas nous retrouver dans la situation des Russes ou des Chinoises, c'est-à-dire encore sous la domination des hommes, encore aux prises avec des doubles tâches, encore renvoyées à notre féminité comme à un vice, nous devons prendre l'initiative des débats idéologiques et des luttes concrètes, nous devons développer notre propre critique de l'économie politique et montrer que la division du travail en système capitaliste se fonde sur la division du travail dans la famille et qu'elle implique une division inégale non seulement des tâches mais de la distribution de la totalité du travail et des pouvoirs liés à cette répartition. Nous devons penser et définir le plus précisément possible le modèle de société que nous voulons instaurer.

Évidemment, et il n'est pas nécessaire d'être docteur en étapisme pour le comprendre, nous ne pourrons pas tout réaliser d'un seul coup.

Nous devons d'abord apprendre à parler. Car, même si les hommes ont l'habitude de nous traiter de grandes bavardes, nous n'avons en fait jamais eu droit à la parole, sinon pour répéter le discours des hommes. Même quand nous nous parlons entre nous, nous nous renvoyons l'une à l'autre l'image qu'ils nous donnent de nous-mêmes. Nous ne devons plus craindre d'intervenir dans notre propre langage, de déranger le discours masculin, en tant qu'il constitue, même dans ses formes les plus généreuses, comme en poésie, par exemple, le discours dominant. Et ce pouvoir, il ne tient pas de sa valeur intrinsèque, supposément parce qu'il serait plus rationnel, plus systématique, plus cohérent, mais bien parce qu'il réduit tout autre discours à ne parler que de choses secondaires. La politique, l'économie, les sciences, ce n'est pas l'affaire des femmes, n'est-ce pas? Si elles veulent s'en mêler, elles n'ont qu'à mimer le discours des hommes. Avoir une pensée originale et surtout oser l'exprimer et la défendre est, depuis toujours, le plus grand crime qu'une femme puisse commettre. Pour la punir, quand on ne la brûle pas sur les bûchers, on la ridiculise. Ou, plus subtilement, on reconnaît l'intelligence et parfois même la pertinence de son discours, s'il n'était pas, n'est-ce pas? si entaché d'émotivité, de subjectivité.

Oui, mesdames, nous sommes émotives, nous sommes subjectives. Nous ne craignons pas les manifestations de notre affectivité. C'est précisément ce qui fait notre richesse, notre différence et, dans une perspective révolutionnaire, ce qui fera notre force. C'est parce que notre intelligence et notre cœur ne sont pas complètement contaminés par la rationalité contemporaine que nous pourrons en remettre plus radicalement en cause les valeurs et les réalisations politiques et sociales qui sont plutôt déprimantes si l'on se représente les injustices sociales, les guerres, les tortures qui existent dans le monde. Devant ces piètres résultats de la fameuse rationalité masculine, nous avons le devoir de commencer à mettre en œuvre notre propre rationalité. Ici au Québec, en 1978, à la veille d'un référendum capital pour notre avenir collectif, cela veut dire que nous n'hésiterons pas à nous battre farouchement, tant sur le plan théorique que sur le terrain, pour l'indépendance politique, économique, sociale et culturelle du Québec. Nous devons aujourd'hui commencer à construire, tel que nous le voulons, le Québec de demain. Nous serons présentes au prochain congrès du Parti québécois et nous réaffirmerons notre volonté de voir notre peuple accéder à la souveraineté pleine et entière ; nous réaffirmerons notre volonté de devenir égales à des hommes libres ; nous serons présentes aux prochaines délibérations des centrales syndicales et nous leur dirons, en tant que travailleuses, même si nous ne sommes pas toutes syndiquées, et pour cause (ce n'est pas facile et sans doute pas très payant de syndiquer des ménagères, des serveuses de restaurant, des « opératrices » de machines à coudre, etc.), que nous voulons qu'elles cessent de tergiverser et qu'elles prennent elles aussi à leur compte la responsabilité de notre libération nationale, au lieu de se dérober derrière un économisme aussi mystificateur qu'inefficace ; nous ferons entendre notre voix en tout lieu et en tout temps pour dire partout et toujours, *et à notre manière,* ce que nous sommes et ce que nous voulons.

Néanmoins, même si nous lions notre émancipation au vaste mouvement de libération nationale que nous soutenons ardemment depuis deux décennies, cela ne veut pas dire que nous devons faire la moindre concession au nom de cette cause. Au contraire, nous devons accentuer nos luttes spécifiques, augmenter le nombre de nos revendications et en développer la qualité d'expression. Chaque combat, chaque victoire doit être pour nous l'occasion de mieux nous équiper pour instaurer une nouvelle forme d'organisation sociale qui nous ressemble. Chaque progrès particulier participe du progrès général, en ce qu'il nous fait prendre conscience que nous pouvons réussir, nous rendant ainsi moins utopique notre rêve d'un Québec libre dans lequel les hommes et les femmes enfin libres s'aimeront dans l'égalité et le respect mutuel.

Le Devoir, 2 novembre 1978, p. 5-6.

La souveraineté-association, ultime effet de notre esprit colonisé

Cette allocution d'Andrée Ferretti a été lue au cours du congrès d'orientation de la Société Saint-Jean-Baptiste, tenu en 1979, pendant lequel le mouvement a donné son appui inconditionnel à l'option indépendantiste.

Plus ou moins conservatrice, plus que moins, la plupart du temps, mais parfois également progressiste, comme durant ces dernières années, selon le déroulement même de notre histoire, la Société Saint-Jean-Baptiste a constamment cherché à rassembler notre peuple autour de l'essentiel, autour de ce qui lui confère son existence : son identité nationale. Et elle a généralement réussi, parce qu'elle a su lui révéler, soit en les reflétant fidèlement, soit en l'aidant à les réorienter, la signification profonde de ses choix et de ses comportements politiques. La Société Saint-Jean-Baptiste a été en maintes circonstances le lieu privilégié où notre peuple démuni des instruments les plus vitaux d'affirmation nationale s'est reconnu avec confiance et plaisir.

Aujourd'hui, en 1979, année cruciale pour notre avenir collectif, en proposant à ses membres réunis en congrès général

« L'indépendance, on la fait » comme thème de réflexion, mais aussi comme mot d'ordre à transmettre et comme programme à réaliser, la Société Saint-Jean-Baptiste, encore une fois, répond à un besoin pressant de la majorité des Québécois, qui est un besoin aussi bien de clarification conceptuelle que d'engagement politique.

Nous sommes en effet plongés, depuis l'avènement du PQ au pouvoir, dans une situation pour le moins paradoxale. À juste titre considérée comme une victoire résultant des luttes idéologiques et politiques menées par l'ensemble du mouvement indépendantiste depuis plus de vingt ans, la prise du pouvoir par le Parti québécois a, d'une certaine manière, signé l'arrêt du combat pour l'indépendance.

En rayant le mot de ses discours et de son programme, et la chose de son administration, le PQ a vidé notre grand projet collectif des contenus idéologiques et politiques qui faisaient sa force réelle. En réduisant notre lutte pour l'indépendance à son seul aspect stratégique, le PQ, qui se croyait rusé, se révèle finalement malhabile. On ne peut que s'en rendre compte aujourd'hui devant l'indifférence marquée des jeunes, devant la contestation grandissante du mouvement syndical et celle, de mieux en mieux organisée, du mouvement féministe, qui représentent à eux trois la très grande majorité des forces vives de notre nation. C'est que, en évacuant l'idéal mobilisateur de l'indépendance, le PQ s'est départi de la seule autorité et de la seule légitimité qui lui permettaient d'exiger, par-delà les contradictions spécifiques de notre société actuelle, un soutien populaire indéfectible pour la mise en œuvre d'une société nouvelle qui réponde aussi bien à nos aspirations de libération nationale qu'à nos besoins de transformation sociale. Sans l'idée de l'indépendance comme lieu de changement radical des rapports sociaux, il est difficile de comprendre l'intérêt que nous avons à regrouper sous une volonté nationale unifiée l'ensemble de nos pratiques collectives. Au contraire, s'est instaurée entre le « bon » gouvernement et les gouvernés organisés une politique de farouche marchandage sans doute courante dans les affaires commerciales, mais assez inédite, à ce que je sache, entre les parties prenantes d'une lutte de libération nationale. Ainsi, déjouant les savants calculs des grands stratèges, la pratique du pouvoir n'a pas fait progresser l'idée de l'indépendance. Bien au contraire, un nombre grandissant de Québécois, même parmi ceux qui ont irrémédiablement choisi le Québec comme seule patrie, ne savent plus clairement aujourd'hui où ils se situent par rapport à l'indépendance, ni pourquoi nous devons nous battre sans répit pour son avènement.

Consciente de ce grave problème, la Société Saint-Jean-Baptiste nous invite donc à réfléchir de nouveau sur notre question nationale et à essayer de dégager de nos analyses une position politique claire, accompagnée d'une stratégie appropriée, apte à mobiliser tous nos membres et, à travers eux, l'ensemble des Québécois, afin qu'en grande majorité nous disions OUI au référendum, et que ce OUI soit, sans équivoque possible, un OUI à l'indépendance.

Nous ne parlerons pas de l'indépendance en soi, mais de celle qui doit répondre aux besoins réels des Québécois en 1979. Nous verrons alors qu'elle se présente sous deux aspects majeurs : 1) comme lutte de libération nationale ; 2) comme pouvoir à exercer. Nous verrons que, dans les deux cas, elle ne peut procéder que d'une véritable révolution culturelle, c'est-à-dire d'un processus de prise de conscience de la volonté d'être, dans un rapport intégral de présence à soi, qui amènera les Québécois à ne plus accepter, en l'intériorisant comme fatalité, le plus petit état de soumission à des intérêts autres que les leurs, de quelque nature qu'il soit.

L'histoire des peuples, aussi bien que celle des individus, nous apprend en effet que dès que nous acceptons la réalité d'une dépendance spécifique, il s'ensuit que c'est le phénomène même de la dépendance que nous intériorisons comme normal ou, pire, comme fatal. Or nous vivons au Québec, depuis la conquête anglaise, dans un état si généralisé de dépendance, qu'il n'y a pas un Québécois, aussi libre qu'il se veuille, qui n'accepte pas comme allant de soi, dans un domaine ou dans un autre, le fractionnement de son être et de ses pouvoirs. À un point tel qu'on peut affirmer, sans risque de se tromper gravement, que le trait culturel caractéristique des Québécois est leur sentiment de la nécessité de la dépendance. Lutter pour l'indépendance, c'est d'abord lutter contre cette aliénation fondamentale, c'est nous donner les moyens d'une totalisation de notre être, d'une entière appropriation de notre identité nationale.

Il est d'ailleurs tout à fait significatif que notre premier geste d'indépendance ait été la proclamation de la loi 101. Et il est non moins révélateur qu'elle ait suscité tant de panique et d'opposition chez nos adversaires et chez nos ennemis. D'un côté comme de l'autre de la barricade, nous avons vite compris que reconquérir et imposer notre langue, c'était affirmer notre pouvoir de nous diffé-rencier, notre pouvoir d'exister en tant qu'entité nationale, notre pouvoir de nous déterminer comme sujet collectif situé dans une histoire que nous voulons désormais faire, après en avoir été si longtemps expulsés. La langue constitue cependant un facteur très fragile d'indépendance, si elle ne peut s'enraciner dans une pratique politique, économique et sociale, c'est-à-dire dans une pratique culturelle globale qui nous institue seuls maîtres de toute notre vie collective. Car il ne peut y avoir longtemps, sans danger de déséqui-libre, scission entre le langage et la réalité qu'il doit nommer.

Notre lutte pour l'indépendance, c'est donc avant tout, faut-il le rappeler encore après tant d'années, un pouvoir à conquérir sur nous-mêmes, une lutte contre le défaitisme et la peur. Ça aussi nos ennemis l'ont bien compris, puisque toute leur stratégie, depuis des années, consiste à déployer mille et une tactiques terroristes suscep-tibles de nous faire peur, comme, pour n'en rappeler que quelques-unes, le coup de la *Brinks*, la *Loi sur les mesures de guerre*, l'infil-tration policière, le vol de documents, la piastre à Lévesque, etc. Car ils connaissent bien l'effet corrupteur de la peur. Ils savent qu'elle est le socle de la subordination, de la soumission, de la dépendance. Aussi, la seule façon de lutter contre la peur aliénante, ce n'est pas, comme certains le pensent jusqu'à l'ériger en stratégie, de faire les autruches et de se cacher la tête dans le sable, de se faire croire qu'il est facile d'accéder à l'autodétermination, qu'il suffit d'agir en n'ayant l'air de rien. Pour vaincre la peur, nous devons au contraire refuser de limiter nos objectifs. Nous devons plutôt les définir dans toute leur radicalité et leur exigence. Un peuple n'engage ses forces vitales dans des batailles que s'il a la conviction que l'enjeu est grand, qu'il en vaut la peine, qu'il y trouvera au bout une liberté pleine et entière. Et pour le peuple québécois, cet enjeu n'est rien de moins que l'indépendance totale.

C'est l'enjeu, mais c'est aussi le seul terrain où nous pouvons gagner, parce que c'est notre terrain. Quand, comme il le fait depuis quelques années, le PQ place notre lutte sur le terrain économique, en nous proposant l'association comme corollaire indispensable de la souveraineté, il nous fait glisser sur le terrain de tous nos adversaires, celui de tous les fédéralistes, qu'ils soient d'Ottawa ou de Québec, qu'ils soient capitalistes ou maoïstes. Car ce terrain de l'économie — non pas en soi, nous verrons plus loin que c'est précisément le domaine que nous devons absolument investir —, tel qu'organisé et développé au Canada depuis 1840, c'est le terrain des capitalistes anglo-saxons. Or nous le savons bien, la pratique économique déborde nécessairement son domaine spécifique et étend ses effets dans toutes les sphères de la vie collective. C'est en fait une pratique culturelle qui découle d'une manière de penser et à la fois qui la détermine. Or la pensée des Anglo-Saxons du Canada est technique, c'est-à-dire qu'elle se réduit à la manière pratique d'aménager, en vue d'une fin utilitariste, l'ensemble des intérêts humains. L'économie, c'est leur lieu natal. Ils n'ont pas d'autre patrie : le Canada, c'est bien connu, c'est une affaire de chemins de fer, de commerce transcontinental. Quand ils nous disent que nous, Québécois, ne pouvons pas modifier notre mode de vie pour un idéal qui ne se compte pas en dollars, c'est faux, mais c'est efficace en ses retombées idéologiques, précisément parce que nous sommes colonisés et que nous acceptons d'emblée l'image que les maîtres nous renvoient de nous-mêmes, surtout lorsqu'elle leur ressemble ; parce que nous acceptons d'être séparés de nous-mêmes, de nous identifier par rapport à l'autre ; parce que nous acceptons de morceler nos pouvoirs. La souveraineté-association est, en ce sens, l'ultime effet de notre mentalité de colonisés.

C'est pourquoi il est vital que la Société Saint-Jean-Baptiste, qui a décidé de se battre pour l'indépendance, reprenne à son compte la lutte de libération nationale en termes de décolonisation, en termes d'identité nationale, en termes de fierté d'être Québécois. Et j'ajoute : en termes de plaisir d'être Québécois.

Car l'indépendance, en plus d'être un pouvoir à conquérir sur nous-mêmes et sur des puissances extérieures, c'est aussi, comme je le disais plus haut, un pouvoir à exercer par et pour l'ensemble des Québécois, en fonction de leurs besoins, de leurs intérêts et de leurs aspirations. C'est pourquoi on ne peut prétendre accéder à ce pouvoir en ne luttant que sur le front politique. Nous devons lutter partout où s'exercent la domination et l'exploitation, particulièrement contre la domination économique qui est, dans les sociétés modernes, le fondement de toutes les autres dominations. Elle est aussi, au niveau du pouvoir, le fondement de tous les autres pouvoirs.

L'indépendance économique ne répond pas seulement à une exigence logique et légitime de toute lutte de libération nationale. Dans le contexte actuel des rapports de force entre le Canada anglais et le Québec, elle peut seule nous permettre d'orienter notre développement en fonction des besoins sociaux et culturels de notre population qui est à majorité composée de familles de travailleurs salariés. Notre libération nationale nécessite donc non seulement que nous nous dégagions du lien politique fédéral et de l'emprise économique étrangère, mais que nous procédions à une réorganisation profonde de toute la sphère de nos activités économiques. Et cela nécessite un changement radical des règles actuelles du jeu, puisqu'elles fonctionnent à 100 % contre nous. Cela signifie qu'un projet d'indépendance nationale, au Québec, n'a de sens qu'inséré dans un projet réaliste de libération économique et sociale.

Quand je dis projet réaliste, c'est aussi bien pour m'opposer au projet d'association du PQ qu'à l'objectif de révolution socialiste, tel que prôné par la « gogauche » du Québec. Car il n'existe pas ici une telle chose qu'une nécessité *vitale* de révolution économique, les besoins essentiels étant satisfaits dans tous les cas, et les besoins superflus chez un très grand nombre. Il y a par contre une nécessité *culturelle* de changement radical de notre développement économique. Les travailleurs et les travailleuses québécois ont envie de se réunir autour d'objectifs économiques et sociaux qu'ils définiraient eux-mêmes, afin de prendre en main, à plus ou moins long terme, les droits exclusifs de propriété et d'administration des richesses naturelles et des entreprises québécoises actuellement détenues par de grandes organisations économiques anti-nationales et antiouvrières, généralement étrangères et très éloignées de leurs intérêts et de leurs besoins.

Un projet réaliste d'indépendance et mobilisateur des masses, des jeunes, des femmes, des travailleurs organisés, doit être conçu comme un pouvoir à exercer, dès maintenant, dans l'élaboration par les intéressés d'un modèle de société capable d'intégrer nos revendications nationales et sociales, en s'appuyant sur la seule force qui nous appartienne et que nous pouvons, par conséquent, contrôler, orienter et organiser selon nos priorités : notre travail.

C'est dans cette perspective que la Société Saint-Jean-Baptiste s'engagera totalement dans la bataille du référendum, considérant que ce premier OUI au Québec est le pas irréversible que nous devons franchir pour nous engager le plus tôt possible sur la voie de l'indépendance, vers une société dans laquelle nous aurons du plaisir à être Québécois.

Le Devoir, 15 mars 1979, p. 5.

Jusqu'à la victoire finale

En 1979, Andrée Ferretti est choisie Patriote de l'année par la Société Saint-Jean-Baptiste de Montréal. Le texte qui suit est son allocution prononcée le 10 novembre devant les invités du souper annuel de la SSJB-M.

J'aimerais que [...] nous réfléchissions très sérieusement à la tâche immense et de plus en plus exigeante qui nous attend, qui nous réclame, dans les prochaines années, si nous voulons, dans cette longue marche vers notre libération nationale, franchir d'une manière irréversible l'étape décisive que nous propose aujourd'hui le gouvernement du Québec.

Tâche aussi complexe que considérable puisque non seulement nous devons déjouer les attaques ouvertes ou pernicieuses de nos puissants adversaires, mais parce que nous devons encore, à quelques mois du référendum, rejoindre et sensibiliser la majorité de nos compatriotes à l'urgente nécessité de nous unir pour conquérir cette liberté élémentaire pour un peuple comme pour un individu de fixer lui-même les cadres de son existence. Cette nécessité de nous unir est d'autant plus grande que la manifestation éclatante de notre volonté politique est en dernière instance non seulement le moyen le plus efficace, mais le seul moyen que nous ayons de nous soustraire à la domination des puissances politiques et économiques étrangères. Nous devons nous unir par-delà toutes nos oppositions réelles et fondées, mais secondaires par rapport à notre objectif fondamental de libération nationale, puisque celle-ci constitue la condition préalable et *sine qua non* de toutes les autres transformations économiques, sociales et culturelles qu'à juste titre les travailleurs, les femmes, les jeunes et les personnes âgées souhaitent et exigent.

Or, chez un peuple dominé, cet objectif d'union, à première vue banal, forme au contraire ce qui est précisément le plus difficile à réaliser, parce que la division et la dépolitisation d'une majorité de la population font partie intégrante de tout système de domination. Elles constituent sa plus solide assise. Pour nous en convaincre, il nous suffit de voir avec quelle habileté tous ceux qui ont un intérêt objectif à notre sujétion et à notre exploitation utilisent les plus colonisés d'entre nous : les Trudeau, les Lalonde, les Ryan, les Chaput-Rolland, et j'en passe. Ils en font leurs principaux agents d'asservissement en leur faisant colporter que le Canada a garanti nos droits et protégé nos libertés, que le Canada nous a assuré et nous assure encore la stabilité et la croissance économique alors qu'en réalité, ils nous ont imposé leur modèle de développement économique et qu'ils ont tout fait pour nous déposséder de notre identité culturelle. Jamais ils ne nous ont accordé aucun droit que nous n'ayons gagné de haute lutte, au prix non seulement d'une dépense de temps, d'énergie, de talent et d'argent, mais quelquefois au prix de la liberté et de la vie de quelques-uns d'entre nous.

Ce qu'il faut dire à nos compatriotes, c'est que ce n'est pas le fédéralisme qui, à partir de la fin du XIXᵉ siècle, a amené au Québec un certain développement des forces productives et l'amélioration du niveau de vie qui s'ensuivit, mais bien que c'est la révolution industrielle qui s'opérait partout en Europe et en Amérique. Ce qu'il faut dire à nos compatriotes, c'est que le Canada anglais s'est approprié les principaux avantages de cette révolution, ne nous faisant partager, et encore, à même nos impôts, les bienfaits de ce développement industriel que dans la mesure où ça leur était nécessaire pour que nous restions dans le système et qu'il puisse ainsi continuer d'exploiter à bon marché nos richesses naturelles et notre main-d'œuvre.

Non seulement la Confédération ne nous a pas assuré un développement économique maximal, mais elle nous a, au contraire, imposé tous les désavantages d'une croissance basée principalement sur l'importation des capitaux étrangers, qui ont largement contribué à désarticuler le fonctionnement de notre économie en ne favorisant jamais l'établissement d'un équilibre nécessaire dans le développement des secteurs primaire, secondaire et tertiaire. Ces capitaux ont plutôt contribué à la diminution constante du rendement social de la croissance économique en ne générant que le minimum obligé d'emplois à forte productivité et à salaires élevés. Ce qu'il faut dire à nos compatriotes, c'est que l'accumulation, depuis plus de cent ans, des nombreuses politiques économiques adoptées par les gouvernements fédéraux successifs, tels la canalisation du Saint-Laurent, la ligne Borden, le pacte de l'auto, l'ensemble des politiques tarifaires et fiscales, est responsable de la faiblesse structurelle de l'économie québécoise. Ce qu'il faut dire à nos compatriotes, c'est qu'avec tout notre potentiel énergétique et humain, nous aurions pu, si nous avions été maîtres de nos politiques, connaître un développement aussi intensif que celui des États de la Nouvelle-Angleterre avec lesquels il était plus normal et plus avantageux de développer nos échanges puisque, comme nous, et contrairement aux provinces de l'Ouest, ils étaient déjà peuplés et développés. Mais il est une chose infiniment plus importante, infiniment plus fondamentale que nous devons dire à nos compatriotes, c'est qu'aucun bien matériel ne s'achète au prix de la dépendance et de l'humiliation sans entraîner à la longue une profonde dévalorisation de l'être, sans mettre en cause son existence même.

Rassembler nos compatriotes et les unir contre tous les membres et toutes les attaques des terroristes comme les William Davis et les membres du *Board of Trade*, contre la démarche des terroristes de service comme les Ryan et les membres de la Chambre de commerce de Montréal, voilà bien la première tâche et la plus urgente. Nous devons donc nous mobiliser et travailler sans relâche, avec patience et rigueur, à convaincre nos parents, nos amis, nos voisins, nos compagnes et nos compagnons de travail ou d'étude pour que tous ensemble, enfin confiants en nous-mêmes, nous nous choisissions en disant un OUI retentissant au référendum. [...]

Nous devons être conscients que là ne s'arrêtent pourtant pas notre responsabilité et notre tâche. Non seulement notre projet collectif de libération nationale est-il déterminé par notre situation historique, mais il doit surtout être un facteur déterminant d'une transformation globale et radicale de notre société. L'indépendance du Québec doit changer concrètement, et pour le mieux, la vie de la majorité des Québécois. Elle doit être le lieu et l'instrument d'une véritable émancipation. Et cette société, c'est dès maintenant qu'il faut commencer à la bâtir. Et c'est en étroite communication avec tous les groupes organisés de citoyens, avec les travailleurs, avec les femmes, avec les jeunes, avec les personnes âgées que nous devons la penser, la revendiquer, la mettre en place. Cela appelle une vaste entreprise de politisation systématique et méthodique de tout ce que le Québec compte de forces vives, de Québécois décidés à vivre autrement, librement et dignement. Cela implique un changement profond de nos valeurs directrices, cela implique que nous ayons le courage de remettre véritablement en cause les structures fondamentales de notre société, de remettre en cause notre intégration à l'ordre capitaliste, de remettre en cause les institutions fondamentales et sociales qui oppriment les femmes, de remettre en cause les structures hiérarchiques du pouvoir. Donner un sort véritablement libérateur à nos luttes, c'est avoir conscience qu'elles seront longues et exigeantes, qu'en fait, elles ne seront jamais finies et que c'est pour cette raison majeure que nous devons nous engager résolument. Tout progrès, qu'il soit économique, politique ou culturel, repose essentiellement sur notre détermination à le réaliser. Parlant d'un groupe de révolutionnaires, Bakounine disait : « Ils ont réussi parce qu'ils ne savaient pas que c'était impossible. » Je terminerai en disant que nous réussirons, parce que nous voulons que ce soit possible.

Le Devoir, 27 novembre 1979, p. 5.

Une belle présence au monde

À la veille du premier référendum sur la souveraineté, la rédaction de la revue *Possible(s)*, sous la direction du sociologue et écrivain Marcel Rioux, invitait des militants à exprimer leurs raisons de désirer l'avènement d'un Québec indépendant.

Je suis enracinée depuis si longtemps et si profondément dans le Québec de demain que, lorsqu'on me demande de décrire en quatre pages la société québécoise de mes rêves, je ne puis la penser qu'en termes de projet et non d'utopie. Non que je nie la fonction dynamique de l'utopie dans les changements de l'organisation sociale, mais, en ce moment décisif de notre destin national, moment qui requiert toute mon attention, je n'arrive pas à charger de sens un univers inventé de toutes pièces.

Aussi hardies que paraissent parfois mes idées et démesurées mes aspirations, je suis en effet une femme des possibles, une femme des évidences.

Cela explique sans doute qu'au mythe du grand corps indéfini qui, supposément pour ma puissance et mon plaisir, étend ses prodigieuses richesses d'un océan à l'autre, j'ai préféré, dès mon enfance, l'enceinte vivante du cœur québécois qui est, je le savais d'instinct, la matière première de mon existence, c'est-à-dire la forme particulière de mon être.

Cela explique sans doute que la société québécoise que je conçois s'inscrit sans rupture dans l'âme séculaire de notre peuple, qui a toujours su sauvegarder son juste rapport entre le singulier et l'universel.

Même aux époques difficiles où nous devions nous protéger du monde pour protéger notre identité, nos yeux restaient ouverts sur les autres, précisément parce que notre particularisme assumé rendait possible notre ultime concordance avec toutes les façons humaines d'être. Il y a toujours dans notre culture des poètes venus de tous les horizons pour modeler notre sensibilité, et des Félix Leclerc pour signifier notre différence. Il y a toujours dans notre histoire des Tocqueville, des Jules Verne, des Mason Wade et des Jacques Berque pour parler de nous, et des Victor-Lévy Beaulieu pour nous parler des autres.

Mais alors que, jusqu'à présent, ce propre de nous-mêmes s'est maintenu de peine et de misère, se déployant dans des luttes pour sa seule survie, dans la société que je projette, il s'épanouira dans une culture sans frontière, certes, mais où jamais plus ne sera menacé notre écart vital d'avec les autres, où, au contraire, notre originalité formera espoir dans ce monde de plus en plus uniformisé.

Car voilà bien ce que nous offre essentiellement notre projet d'indépendance : la possibilité de construire un pays à notre image et à notre ressemblance et, ce faisant, dans l'ère incertaine qui s'ouvre, d'instaurer un modèle inédit de société.

Si rêve il y a ici, il est bien modeste, comme vous voyez, tellement cette puissance d'avenir s'inspire de notre réalité actuelle, c'est-à-dire de notre engagement dans la lutte de libération nationale. Je ne vise rien de plus que cet accomplissement de nous-mêmes, assurée qu'il contient le germe fécond d'une refonte globale de notre société. C'est l'épisode nodal à partir duquel le politique, l'économique, le social, l'esthétique, le scientifique, en un mot, le culturel prendra un tout autre relief. Dans un nouvel espace légitimé, qualifié, valorisé, nous prendrons en charge notre part de solutions aux problèmes du monde qui demeurent encore, en cette fin du XXe siècle, l'exploitation et la domination sous toutes leurs formes.

Oui, je répondrai OUI au référendum, parce que j'ai la conviction intense que cette affirmation de foi en nous-mêmes nous ouvrira à des tâches nouvelles, non seulement dans notre histoire mais dans l'Histoire.

Elle ouvrira à la tâche immédiate, puisqu'elle fonde l'action de notre mouvement d'affirmation, de nous approprier, dans tous les champs de l'activité humaine contemporaine, les instruments nécessaires à notre entière autonomie ; elle nous ouvrira à la tâche immédiate de libérer le dynamisme de notre peuple et de façonner ainsi notre pouvoir de nous avancer à notre manière vers les êtres et les choses ; de libérer toutes nos forces vers des points enfin convergents d'où notre génie pourra irradier sa pleine mesure.

Nous entreprendrons alors la tâche difficile mais possible, puisqu'elle est déjà inscrite dans la trajectoire de nos luttes et de nos objectifs démocratiques, de réaliser une forme d'organisation sociale dans laquelle l'exercice du pouvoir ne sera plus fonction de domination, mais le lieu d'élaboration, d'expression et d'intégration de la multiplicité des projets populaires. Nous entreprendrons alors la tâche difficile mais possible, puisqu'elle repose sur la richesse et la diversité de nos ressources matérielles et intellectuelles, de créer un cadre social de vie qui permettra à chaque homme et à chaque femme d'inventer librement son rapport à soi-même, aux institutions, à la communauté ; d'inventer librement son rapport à la connaissance, au travail, à l'art, au loisir, à toutes les manières d'être et d'agir.

Nous pourrons alors contribuer, à partir de nos propres critères et de nos propres valeurs, à la tâche révolutionnaire mais possible, puisqu'elle est nécessitée par notre temps, de dénouer quelques-unes des contradictions de la civilisation occidentale qui a épuisé ses idéaux et qui se perd dans la mécanique de la croissance pour la croissance. Pratiquant de nouvelles stratégies de développement qui n'appellent ni l'exploitation des travailleurs, ni l'agression, ni le pillage, ni l'assujettissement des autres peuples, peut-être pourrons-nous offrir au monde l'image d'une nation qui sait répondre à ses besoins humains de progrès, de création et de jouissance des biens matériels et spirituels, sans renoncer à l'éternel idéal de liberté, d'égalité et de fraternité.

Bien sûr, cette issue de notre combat n'est pas donnée d'avance. Bien sûr, elle réclame l'élargissement et l'approfondissement de notre conscience et de notre courage politiques. Bien sûr, elle dépend de la puissance de l'utopie dans le projet. Bien sûr, je rêve comme tout le monde.

Possible(s), vol. 4, n° 2, hiver 1980, p. 36-40.

Aliénation et dépolitisation

L'impasse, un ouvrage collectif sous la direction de Nicole Laurin-Frenette et de Jean-François Léonard, publié à l'automne 1980, visait à dresser les enjeux et les perspectives de l'après-référendum.

Nous avons repris notre train-train quotidien. Sans plus de révolte que devant une catastrophe naturelle. La majorité s'est prononcée. Vive la majorité! Peu importe ce qui a déterminé la majorité à se choisir un statut de peuple minoritaire. Peu importe que ce soit les effets séculaires de ce statut qui aient rendu possible son choix. La majorité a parlé, taisons-nous. Ou, pire, disons n'importe quoi.

Pourquoi? Sommes-nous si déroutés que nous acceptions la défaite comme une fatalité? Sommes-nous si las et incertains que nous refusions de la regarder en face, d'en interroger les causes immédiates et lointaines, d'en tirer d'autres conséquences que la soumission? Sommes-nous si désabusés et si démissionnaires que nous abandonnions, sans plus d'examen de ses possibilités, la tâche gigantesque d'une véritable lutte de libération nationale qui remette vraiment en question notre dépendance politique, notre domination économique, notre exploitation sociale et notre oppression culturelle?

Pourtant, et nous le savons d'expérience maintenant, l'indépendance du peuple québécois est impensable et impossible sans une profonde transformation de toutes les vieilles structures de notre société, sans une révolution sociale et culturelle qui nous désaliène et nous mobilise dans le mouvement dialectique des changements sociaux et des luttes idéologiques. Tout le reste est fumisterie qui ne fait qu'éveiller le rêve sans lui donner jamais les moyens de se réaliser.

Après ce référendum, c'est-à-dire après cet enterrement de première classe de nos vingt ans de lutte pour la conquête de notre identité et l'établissement de notre souveraineté, nous sommes, il est vrai, replongés dans le flou cyclique de notre inconsistance nationale et de notre rêve social, enfermés à nouveau dans le stérile débat constitutionnel, charriés une fois de plus dans une histoire que nous ne faisons pas. Demandons-nous toutefois si nous avons jamais risqué sérieusement d'en sortir. Demandons-nous si le mandat de négocier la souveraineté-association constituait plus qu'une méthode inédite de mener avec Ottawa des pourparlers sur le partage des pouvoirs à l'intérieur du même système. Demandons-nous s'il visait plus qu'à changer les formes de notre dépendance ou, si la vérité nous fait trop peur, demandons-nous au moins s'il le pouvait. René Lévesque ne nous cachait d'ailleurs pas ses limites. Il n'hésitait pas à nous dire que rien ne serait changé au lendemain d'un OUI, même si tout ne serait pas exactement pareil.

Or c'est précisément ici que réside le malheur du 20 mai. Le peuple québécois s'est défait sans avoir rien perdu, puisque le combat était sans enjeu. Ainsi, sommes-nous une fois de plus confirmés dans l'idée de notre impuissance congénitale. C'est pourquoi nous nous terrons dans un silence ou, au contraire, nous agitons dans une confusion qui, tous deux, ressemblent tragiquement aux suites de l'échec de la Rébellion qui, d'un peuple conquis, a fait de nous un peuple colonisé. Un peuple aujourd'hui tellement aliéné que c'est un Trudeau plutôt qu'un Lord Durham qui, à coup de millions en publicité télévisée et sans que nous prenions le maquis, nous achemine vers le statut encore dégradé de peuple sociologique, dans un contexte où les forces adverses accroissent non seulement leur extension mais leur emprise.

Oui, nous sommes aliénés. La complexité contemporaine de cette aliénation n'en élimine pas pour autant l'accablante réalité. Nous devons au contraire la prendre éminemment au sérieux, parce qu'elle constitue le facteur primordial qui soutient les autres conditions objectives d'ordre économique, politique et social de notre dépendance. Elle explique le caractère particulier des problèmes que, par ailleurs, nous partageons avec les autres sociétés capitalistes développées. C'est elle qui, en dépit des luttes partielles que nous menons sur d'innombrables fronts, nous empêche de concevoir une vraie subversion.

C'est même cette peur panique que nous avons de détruire dans leurs fondements sociopolitiques nos rapports avec certaines puissances hypostasiées qui, à partir du milieu des années soixante, a largement contribué à la détérioration progressive de la valeur révolutionnaire de notre objectif d'indépendance et au camouflage des intérêts réels qui nous poussaient à l'émancipation. Ce phénomène explique mieux que tout autre le succès relatif du Parti québécois, qui s'inscrit de manière adéquate dans notre société contemporaine en ce que, précisément, il répond bien à son désir de pouvoir apporter les changements nécessaires à son bon fonctionnement, ou jugés tels, au moyen de solutions techniques qui n'exigent ni luttes difficiles ni bouleversements majeurs.

Il m'apparaîtrait cependant grossier de conclure sans plus d'analyse que le Parti québécois a constitué l'obstacle principal au développement de notre lutte de libération nationale, même s'il est clair que l'ambiguïté fondamentale de la totalité de sa démarche en a fait un obstacle difficile à identifier et à surmonter. Il suffit pour s'en convaincre de se rappeler avec quel manque de clairvoyance les membres du RIN, sous la direction de Pierre Bourgault, se sont empressés de saborder leur parti sans condition pour rejoindre un à un le Parti québécois. Il suffit également de constater avec quelle facilité le Parti québécois a étendu son pouvoir hégémonique sur toutes les forces vives de notre nation et comment il a pu, de cette manière, empêcher l'émergence d'un projet de société et d'un mouvement plus libérateurs et en mesure d'offrir une véritable alternative. Il n'en demeure pas moins vrai qu'on ne saurait attribuer cet état de fait soit à l'intelligence machiavélique de René Lévesque ou à son charisme diabolique, soit à la vanité chronique de Pierre Bourgault, soit à tout autre facteur d'ordre aussi exclusivement subjectif.

Plus réellement, la puissance illusoire et même mystificatrice du Parti québécois tient à des causes fort objectives. Principalement, au fait qu'il a su prendre en charge et articuler dans un discours, un programme et une pratique politiques réellement progressistes une part importante des revendications sociales d'ordre politique, économique et culturel du peuple québécois, à ce moment de notre histoire, revendications formulées et diffusées en dehors de lui, de manière convergente mais inorganique, par le mouvement indépendantiste, les centrales syndicales et autres groupes de pression. Et cela, non pas en dépit, comme certains se plaisent à l'imaginer, mais à cause d'une évidence qu'il n'a pas cherché à dissimuler, qu'il a même érigé en facteur positif, à savoir sa volonté d'agir et de réaliser ses objectifs à l'intérieur de notre système actuel, sans y apporter de modifications majeures autres que juridiques. Se présentant sous les couleurs du réalisme, il s'est adapté à une donnée primordiale de nos sociétés actuelles qui est l'espoir, dérisoire tant qu'on veut, mais réel, d'accomplir les changements souhaités en faisant l'économie d'une révolution des structures et des institutions, des pratiques et des idéologies. C'est ce caractère fonctionnel, tout à fait moderne du Parti québécois qui rend si difficile, pour ne pas dire inopérante, toute critique radicale à son endroit. Pourtant, il est devenu nécessaire et urgent d'en entreprendre une si nous ne voulons pas demeurer plus longtemps les otages silencieux et impuissants de ce parti, si nous voulons nous en démarquer d'une manière efficace, sans pour autant nier le sens et l'importance de son rôle passé et actuel, sans entrer en conflit ouvert et périlleux avec lui.

En effet, dans le rapport actuel des forces en présence et en raison de notre évolution dans un contexte aussi bien local qu'occidental de crise et de réaction, il est absolument nécessaire, pour nous lancer avec efficacité dans de nouveaux combats, que nous consolidions les acquis des vingt dernières années, tant en ce qui concerne les enjeux culturels que sociaux de notre lutte de libération nationale. Lutte qui, dans son mouvement global, peut connaître des périodes de tâtonnements et exiger des réorientations majeures, mais ne saurait régresser au chapitre de ses réalisations sans s'affaiblir considérablement et pour longtemps. Or il apparaît évident à la moindre réflexion que seule la réélection du Parti québécois peut actuellement nous protéger contre un dangereux retour en arrière. Il ne s'agit donc pas de le dénoncer comme s'il était notre ennemi principal, encore moins de continuer à croire qu'il est possible de le transformer de l'intérieur, mais de situer clairement dans quel rapport nous nous trouvons réciproquement afin que nos parcours, aussi divergents soient-ils à long terme, s'épaulent dialectiquement en ce moment critique de notre histoire.

Il ne nous suffira cependant pas de critiquer le Parti québécois, aussi judicieusement et efficacement que nous y arrivions, il nous faudra surtout, dans les mois à venir, élaborer les perspectives et les éléments d'un projet social qui pourrait objectivement nous réunir sur la base de nos besoins et de nos désirs, et de l'état concret du développement de notre conscience et de notre organisation, ce qui nous permettra sans doute d'identifier les forces potentiellement révolutionnaires de notre société. Peut-être découvrirons-nous alors que si nous sommes loin de pouvoir partir en peur, sommes-nous, du moins, en mesure de partir du bon pied.

Pour ma part, j'avoue que je suis désemparée et que je serais bien incapable de faire une analyse exhaustive des problèmes qui nous confrontent actuellement et, encore moins, d'indiquer les voies à suivre pour les résoudre. Je veux donc seulement tenter de dégager comment, une fois de plus, lors du référendum, notre aliénation nous a enfermés dans le système de la domination et de l'exploitation. Je pense en effet que seule une claire compréhension de ce phénomène nous permettra de reprendre notre lutte de manière à ce qu'elle ait un jour, le moins lointain possible, quelque chance d'être victorieuse, puisqu'il me reste au moins cette certitude inébranlable que c'est de notre combat que surgira notre liberté.

NOTRE ALIÉNATION

C'est, dans sa réalité permanente, notre impuissance à nous expérimenter comme peuple maître de sa vie nationale.

Les diverses formes historiques qu'elle a prises devraient nous être familières, puisqu'elles trament le tissu de notre histoire en ce que, précisément, nous la laissons toujours échapper. Non pas, comme nous le croyons trop facilement, parce que nous n'avons jamais été à l'origine des régimes constitutionnels et des systèmes sociaux dans lesquels nous survivons depuis la conquête anglaise, mais plutôt parce que nous avons toujours consenti à légitimer ces régimes et ces systèmes déterminés par des pouvoirs étrangers et pour des intérêts particuliers. C'est ce consentement qui nous a institués peuple dominé et exploité. « Nous avons compris une grande vérité, nous dit Vladimir Boukovsky, réfugié soviétique, à savoir que ce n'est pas le fusil, ni les chars, ni la bombe atomique qui engendrent le pouvoir, et que le pouvoir ne repose pas sur eux. Le pouvoir naît de la docilité des hommes, du fait qu'ils acceptent d'obéir. »

Comment ne pas voir en effet qu'il y a de la domination et de l'exploitation parce qu'il y a aliénation. Et non l'inverse. Puisqu'en dehors de l'aliénation, c'est-à-dire de la soumission aveugle ou consciente du dominé et de l'exploité, le rapport dominant-dominé et celui d'exploiteur-exploité fonctionnent comme oppression. Or l'oppression est intolérable. Elle commande toujours la subversion qui empêche la domination et l'exploitation non pas de se produire, ni même de s'exercer plus ou moins longtemps, mais d'opérer légitimement, de s'institutionnaliser. Prenons l'exemple actuel du peuple afghan et constatons qu'il ne nous vient pas à l'esprit de considérer qu'il est d'abord un peuple dominé et exploité, mais qu'il est un peuple opprimé. Réfléchissons et nous verrons que notre sentiment nous vient de ce que justement il n'accepte pas, bien au-delà de l'occupation de son territoire par une armée étrangère (l'armée soviétique) et, antérieurement à cette occupation, de partager avec un peuple étranger (Anglais) ses pouvoirs de déterminer ses conditions matérielles et culturelles d'existence. Qui, au contraire, sans tomber dans le ridicule, surtout depuis le 20 mai, pourrait dire du peuple québécois qu'il est un peuple opprimé ? Personne. Si ce n'est pour faire référence à une certaine oppression culturelle, dans la mesure où nous avons en cette matière toujours lutté pour défendre certains droits. On peut même dire, par exemple, puisque c'est à l'évidence ce qui s'est passé au chapitre de la langue, depuis la loi 63 jusqu'à la loi 101, que plus nous renforçons et développons les cadres et les moyens d'expression culturels de notre différence, plus toute atteinte à notre champ d'action en ce domaine fonctionne comme oppression et entraîne l'élargissement de nos revendications et la radicalisation de nos luttes. Pour la raison inverse de soumission à une volonté extérieure, la domination et l'exploitation politique, économique et sociale que nous subissons sont les effets de notre aliénation.

Notre aliénation, en effet, c'est la perte du sens de notre identité nationale dans son unité et son indivisibilité. C'est la perte du sens de la nécessité — comme on dit du jour qu'il est la lumière — de l'intégralité et de l'intégrité de nos pouvoirs d'autodétermination comme constitutifs (comme attributs et non comme épithètes) de notre identité nationale. C'est ce fractionnement de notre être et de nos pouvoirs, intériorisé comme phénomène normal, qui nous rend acceptable l'intervention permanente d'un pouvoir étranger dans le gouvernement de nos affaires. Notre aliénation, c'est d'être devenus si étrangers à nous-mêmes que nous n'arrivons plus à concevoir le peuple canadien comme un peuple étranger, que nous nous conformons à ses modèles, que nous observons ses règles, que nous assimilons ses valeurs et même ses besoins comme nôtres, pour ainsi dire, naturellement. Notre aliénation, c'est d'ÊTRE Canadiens aussi bien que Québécois.

Tout cela est archi-connu, aussi bien le phénomène que l'analyse. Il n'en demeure pas moins vrai que nous n'avons pas compris, que nous ne comprenons pas encore que c'est ce fait historique de notre double allégeance qui nous a conduits au projet de souveraineté-association, au référendum et à ses résultats. C'est ce fait qui explique la confusion dans laquelle nous nous débattons plus mal que jamais depuis le 20 mai, parce que notre aliénation nationale atteint aujourd'hui un degré de profondeur tel que même ceux et celles qui disent lutter pour notre libération n'en voient plus les œuvres, n'en reconnaissent pas l'effectivité. D'autant moins qu'elle n'est plus seule à déterminer nos comportements démissionnaires, qu'elle se double d'une aliénation culturelle et sociale commune à toutes les sociétés post-industrielles du monde occidental.

Aliénation généralisée qui se caractérise par le déploiement d'une crise des valeurs qui ne tient pas tant au rejet des normes et des critères anciens de signification des gestes et des paroles, qu'à l'abandon de toutes normes et de tous critères qui seuls, pourtant, à la fois révèlent et construisent la singularité créatrice aussi bien des sociétés que des individus. Aliénation généralisée qui se caractérise par l'affaiblissement des cultures régionales et nationales, dans une uniformisation de plus en plus universelle des besoins et des moyens de les satisfaire et qui détruit cette qualité proprement humaine qu'est la diversité des modes de vie. Aliénation généralisée qui se caractérise par l'extinction du sentiment d'appartenance à une communauté spécifique et l'extension massive d'un individualisme qui, au nom des droits et libertés individuels, isole l'individu et le rend impuissant, parce qu'en le confinant à lui-même, il le prive des médiations d'une collectivité déterminée absolument nécessaires à toute prise réelle sur le monde. Aliénation généralisée qui se caractérise par la rationalisation croissante de la vanité supposée de tout projet de société entièrement différente, de tout projet de révolution. Toutes les données immédiates et même les prétextes les moins fondés sont aussitôt transformés en raison suffisantes de résignation : l'efficacité de la science et de la technologie qui promettrait des progrès illimités dans la production des biens de consommation et de leur plus juste distribution ; le haut niveau de vie déjà atteint dans de nombreuses sociétés ; la disparition du prolétariat et la montée démographique de la classe moyenne accompagnée d'un accroissement de sa force politique qui atténuerait les contradictions ; le pouvoir d'adaptation du système capitaliste qui récupère toujours à ses fins propres les idées innovatrices et les initiatives concrètes des mouvements contestataires ; l'échec du socialisme ; le partage du monde entre les grandes nations impérialistes qui tiennent sous leur joug respectif les moyennes et petites nations; la puissance massive et incontrôlable des moyens de communication au service des idéologies dominantes; et que sais-je encore? Aliénation généralisée qui se caractérise par l'absence réelle d'autonomie qui touche tous les individus dans l'exercice de leurs fonctions et qui se vit quotidiennement par une perte du sens de l'autonomie.

C'est dans cet espace, entre ces deux dimensions inextricables de notre aliénation contemporaine, que s'est accomplie la réduction de la visée inaugurale d'indépendance politique et sociale du peuple québécois au projet technico-économique de souveraineté-association des États québécois et canadien. C'est sur cette scène que s'est joué l'échec du référendum.

Cela a mené au triple déplacement de la problématique, de l'objectif et du terrain de la lutte avec, comme conséquence, une triple confirmation de la légitimité du pouvoir étranger.

D'une revendication de liberté comme enjeu fondamental de notre entreprise d'émancipation, nous avons peu à peu glissé vers une revendication d'égalité. D'une aspiration encore mal définie d'un Québec libre, nous sommes passés au projet précis d'une nouvelle entente avec le Canada.

Et ce n'est pas insignifiant.

Revendiquer la liberté impliquait en effet que nous nous reconnaissions comme des égaux, c'est-à-dire comme des ayants droit à notre différence, que nous pouvions nous concevoir autrement que comme l'autre du même, autrement qu'en regard de nos particularismes, mais avec la claire conscience de notre singularité irréductible que nous posions comme puissance fondatrice de notre souveraineté nationale. Au contraire, revendiquer l'égalité, comme nous nous y sommes vite résignés, traduit notre profond sentiment d'infériorité et d'impuissance. Elle met à l'œuvre non pas notre volonté effective d'auto-affirmation et de pleine autonomie, mais plutôt notre désir inavoué de lutter contre le mépris de l'autre, de nous hisser jusqu'à l'autre entité canadienne que nous prenons en toutes choses comme point de comparaison et comme critère de la valeur de ce que nous faisons[1], et qui, elle, n'a cesse de nous maintenir à distance comme différence dévalorisante de l'ensemble, comme *frogs*, *french pea soup*, *cheap labour*, *inefficient people*. Revendiquer la liberté, c'était nous poser d'emblée dans un rapport d'égalité *de droit* et impliquait que seule une forme certaine d'oppression nous empêchait *de fait* d'en exercer les prérogatives. Cela supposait que nous devions être prêts à considérer le peuple canadien non seulement comme radicalement autre, mais même comme adversaire, comme ennemi de notre identité souveraine. Ce que, précisément, notre aliénation nous interdit. Nous n'avons pu, au contraire, que revendiquer l'égalité et, ainsi, légitimer « en notre âme et conscience » les anciens rapports de domination et d'exploitation que nous prétendons vouloir combattre maintenant, sans vouloir rompre avec ceux qui les ont institués et qui les maintiennent tels.

Dans ces conditions, l'échec du référendum était inévitable. On ne peut conduire un peuple à assumer les exigences de sa libération nationale sans avoir préalablement amené sa conscience à la double perception critique de lui-même comme opprimé et de l'autre comme oppresseur. Échec inévitable, mais, surtout, échec tragique, le référendum ne pouvait que l'être et il l'a été, parce qu'il a été présenté comme échéance historique sans être aucunement fondé dans la vérité d'une lutte à finir.

Bien au contraire, ce déplacement de la problématique est inextricablement lié au déplacement de l'objectif lui-même. Du moment où nous[2] avons commencé à revendiquer l'égalité, il n'était déjà plus question de nous libérer du Canada, mais de nous épanouir au sein du Canada. L'appartenance à une culture distincte étant vécue comme un fait contingent, et non comme la marque d'une différence essentielle et indivisible dans ses formes, il ne s'agissait plus de conquérir le pouvoir d'État comme Québécois, sujets uniques d'une identité et d'un pouvoir indissociables, mais de ne plus fonctionner comme Québécois, Canadiens de seconde zone. Il ne s'agissait plus de mener une lutte politique en termes de libération nationale d'un peuple, mais bien, plutôt, en termes de son intégration plus avantageuse, particulièrement sur le plan économique, à un État étranger qu'en définitive nous considérons nôtre. L'inversion par rapport à la lutte de libération nationale est totale. Non seulement le projet de souveraineté-association ne trouve plus dans l'indépendance politique du Québec la source du pouvoir du peuple québécois, mais il fait de l'association avec l'État canadien la garantie de son développement. Ce ne sont plus les qualités intrinsèques de la souveraineté nationale qui nous consacreront, si nous le jugeons utile, partenaires égaux, mais bien notre association en tant que partenaires égaux qui rendra viable notre souveraineté. Reconnaître ainsi la primauté de l'économique sur le politique, c'est légitimer dans les structures et les institutions les anciens rapports de domination et d'exploitation que nous prétendons vouloir combattre, sans vouloir briser leurs mécanismes de fonctionnement.

Dans ces conditions, l'échec du référendum était inévitable. L'absence, au départ, d'une conception globale d'une société possiblement tout à fait détachée du Canada frappe de non-sens ou, du moins, d'un coefficient d'inutilité tout processus de séparation préalable. Ce que tous les adversaires de l'indépendance se sont empressés de faire voir au peuple québécois. Ils n'ont eu, pour le convaincre, qu'à lui promettre la même chose que les tenants de la souveraineté-association, à savoir un réaménagement des pouvoirs à l'intérieur du Canada. Promesse à effets d'autant plus efficaces qu'elle s'appuyait sur le désir d'égalité inculqué depuis plus d'une décennie par les souverainistes. C'est ce qu'on appelle en langage vulgaire se faire avoir comme des enfants de chœur.

Et nous nous sommes fait avoir parce que, en substituant la valeur d'égalité à celle de liberté et l'objectif d'association économique à celui d'indépendance politique, nous avons porté notre lutte tout droit sur le terrain de l'adversaire. Puisque, en effet, notre économie en plus d'être déjà parfaitement intégrée à l'économie canadienne, majoritairement ontarienne, et dont l'État canadien est l'émanation directe et le serviteur inconditionnel en tant que premier régulateur du système capitaliste contemporain, la bourgeoisie canadienne ne pouvait que juger irrecevable un projet qui menaçait de fissurer le système de sa domination. Elle ne pouvait accepter que l'État canadien, lieu unifiant les intérêts multiples, souvent divergents et parfois conflictuels de son pouvoir de classe, perde sa suprématie, se décompose et se retrouve sur un pied d'égalité juridique avec un autre État national. Accepter la division du pouvoir canadien, c'était accepter la division de ses pouvoirs particuliers. C'était accepter d'en négocier les termes avec une bourgeoisie québécoise que, de toute façon, elle contrôle et qui, par-dessus le marché, à cause de sa faiblesse structurelle, dans un contexte de lutte de libération nationale, aussi atrophiée soit-elle, risque d'être débordée par les revendications et les aspirations populaires des classes travailleuses. Risque d'autant plus grave que le projet de souveraineté-association, même s'il s'inscrit objectivement dans le développement global du capitalisme nord-américain, qu'il en partage et en défend les enjeux fondamentaux[3], est vécu subjectivement par la très grande majorité de ceux qui le portent comme un moyen de réappropriation par le peuple et pour le peuple québécois des outils les plus nécessaires à son épanouissement collectif, et non pour renforcer le pouvoir politique de la bourgeoisie québécoise. Ce que la bourgeoisie canadienne a très vite compris, contrairement à notre pseudo-gauche.

Par conséquent, tout velléitaire qu'elle ait été en termes d'indépendance politique et sociale, la bourgeoisie canadienne, par l'intermédiaire de toutes les instances politiques qu'elle contrôle d'un océan à l'autre, en passant par le Parti libéral du Québec, s'est empressée d'opposer une farouche fin de non-recevoir au projet de souveraineté-association. Pour lutter avec une pleine efficacité contre ce projet, elle n'a eu qu'à masquer ses intérêts particuliers sous la figure de l'unité canadienne. Sous cet emblème hypostatique, elle a noyé toutes les différences, elle a mobilisé tous les Canadiens et, plus facilement encore, les Québécois, dans la mesure même où, de tous, ils sont ceux qui se sentent le plus mal assurés de leur identité canadienne. Pour faire valoir aux Québécois les avantages supposés de leur appartenance supposée au Canada, la bourgeoisie canadienne n'a eu qu'à tirer parti des contradictions du projet de souveraineté-association avec le succès que l'on connaît et qui était inscrit non pas dans la logique de Trudeau, mais dans celle des choses.

À partir du moment où, en effet, nous proposions des changements sans rupture de continuité, dans le cadre d'une nouvelle entente avec le Canada, nous ne pouvions plus attaquer ce même Canada comme système global de domination au service exclusif des intérêts particuliers de la bourgeoisie canadienne, ni ne pouvions plus désigner cette classe dominante comme l'ennemie principale de notre souveraineté nationale. Puisque, en effet, nous faisions du partage des pouvoirs économiques qu'elle contrôle l'enjeu principal des changements constitutionnels, nous ne pouvions que composer avec ses intérêts, qu'en accepter les objectifs fondamentaux et les mécanismes de réalisation. Nous ne pouvions plus que dénoncer, sous le vocable pudique d'abus, les effets les plus contraignants du système sur nos intérêts spécifiques en les attribuant au mauvais fonctionnement de quelques-unes de ses structures devenues désuètes. Nous permettions, par contre, à cette bourgeoisie, par un retournement facile de la situation, de nous faire passer de notre rôle de défenseurs des intérêts prioritaires du Québec à celui de briseurs du Canada. En portant notre lutte sur le terrain de l'adversaire, nous nous en constituions les prisonniers.

Aussi, s'est-il emparé de notre butin. Le Canada pour notre liberté, nous a-t-il promis. Et pour mieux nous faire adhérer à cette croyance, il l'a enveloppée d'une promesse de sécurité, particulièrement appropriée au maintien d'un peuple aliéné dans son aliénation, puisque l'acte libérateur tient tout entier dans le risque de la liberté à prendre. Promesse aliénante et d'autant plus facile à faire miroiter qu'elle reflétait une promesse déjà vieille de dix ans, celle qui était au cœur de notre projet, au cœur de sa rationalité : la souveraineté dans l'association ou, très littéralement, la liberté en toute sécurité. L'avantage du Canada sur nous, cependant, c'est qu'il pouvait prétendre disposer déjà de tous les pouvoirs pour réaliser sa promesse. Alors qu'au contraire, nous reconnaissions d'emblée ne pouvoir tenir la nôtre qu'en négociant l'un de ses termes avec le pouvoir canadien. Soumettre ainsi notre accession à la souveraineté à la volonté d'une instance qui échappe depuis toujours à notre contrôle, mais qui inversement, de son lieu précis et tout-puissant, contrôle l'existence politique, économique, sociale et culturelle de notre société, c'était légitimer dans leurs fondements et leurs impératifs mêmes tous les rapports de domination et d'exploitation, en confirmant les spoliateurs de nos droits et de nos pouvoirs dans le droit et le pouvoir de nous prendre en charge jusqu'en nos tentatives de libération.

C'était, sans les dépasser, annuler toutes les conditions de l'oppression.

L'échec du référendum était inévitable et il est tragique parce qu'il a porté notre aliénation à un nouveau degré de profondeur. La question référendaire ne nous posait même pas le problème de l'accession à l'indépendance, mais elle nous demandait seulement d'oser accomplir le geste qui vaincrait notre peur d'être nous-mêmes. Dire OUI, c'était nous libérer des réminiscences de nos défaites historiques comme acte fondateur d'une nécessaire réconciliation avec nous-mêmes. Et nous avons accumulé une défaite de plus. La défaite des défaites : celle que l'on s'inflige à soi-même, celle qui nous rend un peu plus impuissants en même temps qu'elle accroît la force des puissances adverses. Il n'y a qu'à voir comment le pouvoir central s'empresse d'exploiter notre déconfiture pour mesurer dans toute son étendue la menace qui pèse sur nous[4]. Toute différente qu'elle se présente dans ses formes, elle est de même nature et obéit à la même logique que celle qui a marqué notre destin avec les régimes de l'Union et de la Confédération, qui nous ont engagés et maintenus dans un processus sans cesse accéléré de minorisation, qui nous ont enfermés dans la dialectique stérile de la subordination et de la survivance, et dont nous ne pourrons nous libérer, aussi bien dans la matérialité des faits que dans notre subjectivité, qu'en luttant pour l'indépendance nationale et qu'en y accédant.

Seule, en effet, l'idée d'indépendance est une idée politique suffisamment subversive pour mobiliser notre peuple dans le refus de la domination et de l'exploitation, parce qu'elle désigne d'elle-même de par la seule nécessité de son existence l'oppression natio-nale, qu'elle se soutient de cette vérité qu'elle proclame, et qu'elle donne ainsi sa pleine signification au désir latent d'autodétermi-nation qui trame l'autre face de notre histoire, depuis 1760.

Nous ne pourrons cependant pas y revenir et la proposer comme fer de lance de notre lutte de libération nationale, sans avoir auparavant liquidé, jusque dans les moindres replis de notre conscience collective, l'illusion de toutes solutions de compromis. Ce qui ne sera pas facile, puisque ce type de solutions, tel le projet de souveraineté-association, est non seulement un effet de notre séculaire aliénation nationale, mais qu'il répond à nos exigences actuelles d'une certaine modernité qui se caractérise par l'aliénation du politique dans le technocratisme. Nous devons éviter de tomber dans les pièges de l'institutionnalisation et de la bureaucratisation de nos revendications nationales, et entreprendre de repolitiser notre lutte si nous voulons la voir se développer dans le sens d'un changement de société.

NOTRE DÉPOLITISATION

Le Parti québécois, aussi étonnant que cela puisse paraître à première vue, a grandement contribué à dépolitiser la question nationale. Il l'a, en effet, dérobée à la conscience du peuple pour la remettre aux mains des technocrates et des bureaucrates. Du moment où il s'est emparé du mouvement indépendantiste, notre lutte politique de libération nationale du peuple par le peuple est devenue une classique histoire d'État, c'est-à-dire qu'elle a commencé à se dérouler par-dessus la tête des gens. Plutôt que de se vivre dans la *polis* — dans la rue, le quartier, la paroisse ; dans l'école, l'usine, le bureau, le chantier, la mine —, dans l'émulation et l'effervescence des revendications et des actions communes, à partir et en faveur des aspirations populaires, elle s'est conçue dans les bunkers insonorisés des calculs stratégiques, des intérêts du parti et des impératifs du pouvoir d'État. Ainsi à l'abri des bruits du pays, elle s'est figée dans la rigidité fonctionnelle de la planification bureaucratique.

Le Parti québécois et, *a fortiori*, le gouvernement qui en est issu ont en effet tenté de gérer notre lutte comme on mène une entreprise industrielle, commerciale ou une régie d'État, en utilisant les techniques les plus sophistiquées de prises de décision, d'échanges et de communications d'une bonne administration moderne. Ils n'ont eu de repos que dans l'étouffement systématique de toute manifestation organisée ou spontanée du peuple dans l'expression de ses besoins et de ses problèmes, de ses conceptions et de ses solutions, de sa colère et même de son enthousiasme. Ils ne lui ont laissé aucune initiative ou, alors, ils se sont désolidarisés de celles qu'il prenait. En ne s'impliquant pas dans ses manifestations de toutes sortes, ils ont favorisé la dichotomie entre les revendications sociales et les aspirations nationalistes des masses populaires dont la réunion constitue pourtant le seul véritable moteur politique d'une lutte de libération nationale[5]. Au contraire, le Parti québécois et son gouvernement se sont réservé sur la question nationale tous les domaines de la réflexion et de l'action, pour les soumettre à leurs critères technocratiques d'efficacité selon lesquels il s'agit de prévoir et d'orienter toutes les situations problématiques en fonction des solutions déjà pensées, afin qu'elles ne débordent pas les cadres du programme et de la stratégie établis.

Or l'accession à l'indépendance du Québec est une question éminemment politique en ce sens qu'elle ne peut advenir qu'au terme d'une socialisation intégrale de la question nationale. Elle implique un profond changement de société qui ne peut être élaboré que dans le contexte d'une stratégie toujours en train de s'établir, dans le rapport dialectique de l'état de développement de la conscience nationale et des changements effectifs des situations. Dans le rapport actuel des forces dans le cadre du système capitaliste nord-américain, l'indépendance du Québec est un objectif révolutionnaire parce qu'il remet en cause la nécessaire organisation hégémonique du système de domination et d'exploitation. Elle ne peut donc advenir qu'au terme d'une vaste, longue et profonde action politique de sensibilisation, de mobilisation et d'organisation de toutes les forces sociales qui ont un intérêt objectif à l'abolition de ce système. L'indépendance du Québec n'est en effet réalisable que fondée sur le désir et la volonté d'édifier une société québécoise entièrement différente, basée sur une transformation globale de tous les rapports sociaux à l'intérieur d'une nouvelle nation jouissant enfin de son droit à la pleine autodétermination.

Au contraire, le projet de souveraineté-association est une question d'ordre technique en ce sens que sa réalisation repose entièrement sur le succès de négociations menées au niveau des États fédéral et québécois, dans le but d'en arriver à un nouveau partage des pouvoirs à l'intérieur du même système social. Comme il a souvent été démontré, le projet de souveraineté-association, fondateur du Parti québécois, s'inscrit sans rupture dans la suite de la Révolution tranquille qui, déjà, faisait du partage des pouvoirs de législations en matière économique, entre Ottawa et Québec, l'enjeu principal des débats constitutionnels. Il élargit certes considérablement le champ de nos revendications nationales, mais il ne remet aucunement en question le lien structurel fondamental de notre appartenance au Canada, qui repose sur l'intégration de notre économie aux objectifs, enjeux et intérêts de l'économie canadienne. On peut même affirmer que le projet de souveraineté-association s'inscrit bien plus dans la perspective du fédéralisme, même s'il propose de le renouveler entièrement, que dans la problématique indépendantiste. Il se présente comme la solution constitutionnelle la plus fonctionnelle et la plus opérationnelle aux problèmes du Canada, tous plus ou moins déterminés par la question nationale du Québec. Basé sur le rapatriement au Québec de tous les pouvoirs politiques nécessaires à la constitution d'un État juridiquement souverain, mais également sur une gestion économique conjointe soumise à une union monétaire, une politique douanière commune, l'absence de barrières tarifaires entre les deux États, il était donc inévitable que ce projet aboutisse à la proposition d'une nouvelle entente avec le Canada, telle que formulée pendant la campagne référendaire.

Non seulement le projet de souveraineté-association ne remet pas en cause les fondements de notre organisation sociale, mais, en ne s'attaquant pas aux racines et aux mécanismes actuels de l'oppression nationale, il a contribué à en nier la réalité. C'est pour cette raison que le Parti québécois, par la voix de ses dirigeants et, particulièrement, de celle de René Lévesque, a toujours dévalorisé l'objectif d'indépendance nationale comme un projet nimbé d'une auréole idéaliste. Par contre, pour justifier ses solutions de compromis à nos problèmes politiques aussi bien qu'économiques, sociaux et culturels, le Parti québécois se réclame adroitement des qualités de réalisme, de bon sens et de modération du peuple québécois, comme si ces qualités réelles constituaient un obstacle insurmontable à l'émergence d'une autre vision du monde. Il n'en demeure pas moins certain que le Parti québécois, avec son projet de souveraineté-association, son programme social-démocrate, ses stratégies de pouvoir et de négociation, son organisation électoraliste, répond adéquatement, d'une part, aux exigences de notre système social qui se caractérise par son aptitude à compenser ses carences à même ses propres régularités, et d'autre part, aux exigences des masses dépolitisées qui attendent de l'État les gratifications compensatrices de leur isolement et de leur aliénation. C'est même ce modernisme qui, dans notre contexte sociohistorique, est capable de contrer les effets les plus discriminatoires pour nous du fédéralisme et du capitalisme.

Notre objectif principal consistera donc à trouver les moyens de combattre les tendances effectives des masses populaires à résister aux changements, même les plus nécessaires et, paradoxalement, les plus souhaités. Nous devrons mettre à jour les articulations subtiles et multiples de notre dépendance. Nous devrons montrer que toutes les solutions de compromis, qui semblent d'abord relever d'une pratique réaliste, ne sont en fait que des idéalisations inadéquates par rapport aux problèmes réels quand on n'en occulte pas les dimensions les plus importantes.

Nous devrons par tous les moyens repolitiser notre lutte, c'est-à-dire la faire redescendre dans la rue, dans les lieux de vie et de travail, dans la société, car l'effritement de notre volonté d'émancipation est le plus grave danger qui nous menace actuellement. Il ne faudrait surtout pas, sous le prétexte de la difficulté du contexte, que nous cédions à la tentation de nous engager dans des entreprises réductionnistes. Seul l'objectif de l'indépendance, assumé par toutes les forces vives de notre peuple, peut constituer la source d'inspiration décisive pour mener victorieusement notre combat contre toutes les formes de notre aliénation et abolir ainsi les conditions de possibilité de notre domination et de notre exploitation.

L'impasse, Montréal, Nouvelle Optique, 1980, p. 145-162.

1. N'est-il pas tout à fait remarquable que même le gouvernement du Parti québécois invoque continuellement l'exemple de réalisations similaires dans d'autres provinces pour justifier ses entreprises qu'il craint de voir contestées, ou qui le sont effectivement. N'est-il pas encore plus remarquable de le voir aujourd'hui s'appuyer sur les provinces

de l'Ouest pour défendre nos droits acquis et évacuer ainsi toute la spécificité du sens de nos revendications.

2. Je dis bien « nous », et non pas « le Parti québécois ». Premièrement, parce que je veux éviter toute identification du parti à ses seuls dirigeants, puisqu'il est bien évident que le phénomène décrit n'a pas été le résultat d'un coup de force, mais le fruit d'une profonde adhésion collective des membres du parti, sans cesse renouvelée au cours des années. Deuxièmement, parce que d'une manière ou d'une autre, il a reçu l'appui conscient de l'ensemble des forces progressistes de notre société.

3. Lire, pour le comprendre, *Bâtir le Québec*, du ministre Bernard Landry.

4. Le 9 novembre 1980. Au moment où j'ai écrit cet article, je ne pouvais apporter d'autres faits précis que de citer le projet de préambule à une nouvelle Constitution rédigé par Trudeau, pour montrer l'ampleur et la gravité des implications de notre défaite. Aujourd'hui, la suite de coups de force qui tiennent lieux de préparation à la Conférence constitutionnelle le manifeste à l'évidence, de même que notre réduction à une résistance plus passive que jamais, du moins depuis la fin des années cinquante.

5. Par exemple, à l'occasion du 1er mai 1980, alors que des milliers de travailleurs québécois défilaient dans les rues de Montréal pour célébrer leur fête dans la solidarité et la joie, il était triste et presque incroyable de devoir constater, d'une part, l'absence de toute représentation officielle du Parti québécois à la manifestation et, d'autre part, qu'à aucun moment, ces travailleurs n'ont pensé à entonner des couplets ou à crier des slogans en faveur de l'option souverainiste. Pourtant, nous étions en pleine campagne référendaire et la majorité d'entre eux avait ou allait participer dans leur milieu à la formation d'un regroupement pour le OUI. Mais pas plus que le PQ n'a pu, dans le cadre de son projet, allier les intérêts de la classe ouvrière en tant que telle à l'accession à la souveraineté, pas plus les travailleurs québécois ne se sont mobilisés, en tant que travailleurs, dans la résolution de la question nationale. Jamais comme ce soir-là ne m'était apparue si lointaine l'heure de notre libération nationale.

À réactionnaires, réactionnaires et demi

Cet article a paru initialement dans le journal *Le Devoir* du 24 septembre 1987, mais amputé de plusieurs passages, ce qui en affaiblissait la portée politique. Dans sa livraison d'octobre 1987, *L'Aut'Journal* en publiait la version intégrale. Les passages supprimés par *Le Devoir* sont reproduits en italique.

Les Jacques Parizeau et les Bernard Landry se font les chantres enthousiastes d'un inconditionnel traité de libre-échange entre le

Canada et les États-Unis. Ils nous donnent ainsi, comme s'il en était encore besoin, une nouvelle preuve de leur navrante inconséquence sociale et de leur inaptitude politique à opter pour des stratégies efficaces dans la défense du peuple québécois. Ils nous montrent qu'ils n'ont su tirer aucun enseignement de l'histoire récente du Québec, de cette expérience dérisoire dont ils ont été les principaux artisans : l'échec aussi inévitable que prévisible de leur tentative d'instaurer un rapport d'égalité avec un partenaire à tous égards plus puissant que le Québec, sans avoir pris le soin préalable et indispensable d'assurer son indépendance politique.

Aujourd'hui, alors même qu'ils accusent les syndicats québécois d'être réactionnaires parce qu'ils s'opposent à toute entente globale de libre-échange entre le Canada et les États-Unis, ils ne savent pas empêcher que transparaisse leur secrète conviction qu'une telle entente serait préjudiciable au Canada, particulièrement à l'Ontario *(voir leurs allusions plus ou moins subtiles sur l'infrastructure de l'industrie ontarienne, qui laissent entendre que ce qui faisait sa force dans une économie jusqu'à maintenant basée sur la production manufacturière, telle qu'issue de la révolution industrielle, devient, à l'heure de la révolution technologique, son point faible).*

Enfermés dans leurs schémas d'analyse, ils s'imaginent que tout ce qui pourrait affaiblir le Canada serait bon pour le Québec. Peut-être espèrent-ils être ainsi vengés de la fin de non-recevoir du Canada à leur projet de souveraineté-association et du poids décisif de son intervention, à travers la personne de Pierre Elliott Trudeau, qui a fait pencher la balance en faveur du non, lors du référendum de 1980. *Peut-être espèrent-ils aussi que le probable affaiblissement du Canada les absoudra de la frivole approche qui les a conduits à diluer l'idéal indépendantiste, parce qu'ils étaient à la fois trop avides de s'emparer vite d'un pouvoir accru et épouvantés d'y parvenir, craignant — aurait-ce été leur plus juste vision ? — de ne savoir qu'en faire.*

Or la nation québécoise a payé suffisamment cher (*cf.* notre recul sur les fronts constitutionnel, politique et culturel) leurs erreurs passées, sans avoir à assumer le prix de leurs actuelles prétentions à la guider de nouveau dans ses choix de société.

Car il s'agit bien de cela, si l'on prend la peine, au-delà de ses aspects strictement commerciaux, de considérer tous les bouleversements économiques, sociaux et culturels qu'entraînerait pour la société québécoise la signature de l'accord envisagé.

D'autres, plus qualifiés que moi en ces domaines, ont démontré de manière sérieuse combien les conséquences qui découleront de l'abolition des barrières non tarifaires seront dommageables à tous nos régimes sociaux. Je me bornerai donc à rappeler que, loin de n'avoir été que des formes d'aide sociale aux plus démunis, ces régimes ont contribué et contribuent encore à l'enrichissement général de la société québécoise. Sur le plan économique, ils sont à la source d'un taux élevé d'investissements et d'un nombre considérable d'emplois directs et indirects soutenus. Sur le plan social, ils contribuent largement à une meilleure qualité de vie, infiniment supérieure à celle que connaît la majorité de nos voisins du Sud.

Par ailleurs, les représentants des milieux ouvriers et de l'agriculture ont démontré, avec suffisamment de preuves à l'appui, jusqu'à quel point un accord global de libre-échange entre le Canada et les États-Unis serait néfaste aux travailleurs et travailleuses québécois de ces secteurs, que je n'ai pas la prétention de pouvoir ajouter quoi que ce soit à leurs analyses. Je me permets seulement de souhaiter que les médias, particulièrement Le Devoir, *leur accordent une plus juste diffusion.*

Je voudrais *plutôt* m'employer à démontrer, ne serait-ce que pour l'instruction de MM. Parizeau et Landry dont les voix, elles, étrangement, trouvent soudain un si puissant écho dans nos médias, en quoi et pourquoi un tel accord, quelles qu'en soient les conséquences, bonnes ou mauvaises, pour le Canada, constitue la pire menace qui ait jamais pesé sur l'avenir de la nation québécoise, puisqu'elle met en péril notre identité avec son corollaire, notre créativité.

Après les échecs répétés et coûteux des solutions économistes aux problèmes structurels d'un développement capitaliste traditionnel dans les sociétés post-industrielles — erreurs également commises par le gouvernement péquiste —, ce sont les investissements dans les industries culturelles (principalement dans les arts, les sciences, l'informatique et les communications) qui sont devenues le nouveau système nerveux du développement économique et de l'organisation sociale des sociétés contemporaines, entraînant un complet renversement des rapports entre économie et culture, celle-ci remplaçant celle-là comme pouvoir fondateur de tous les autres pouvoirs. Il nous faut donc absolument comprendre que, moins que jamais auparavant, il ne peut y avoir de souveraineté culturelle sans souveraineté économique et vice-versa, toutes deux ne pouvant s'exercer, dans notre monde presque exclusivement composé d'États-nations, que dans le cadre de la souveraineté nationale.

Avec l'avènement de la révolution technologique et des transformations qu'elle opère dans tous les domaines, particulièrement dans ceux de l'informatique et des communications, nous assistons en effet à une transformation majeure, à l'échelle internationale, du mode de production et de distribution des biens et services, qui porte à un degré encore jamais atteint la puissance des pays déjà dominants et, à l'inverse, décuple la dépendance des autres.

Bien que ce phénomène soit fort connu, et évidentes ses conséquences, je crois utile de rappeler qu'il tient essentiellement au fait que la condition *sine qua non* d'un rendement profitable du nouvel ordre économique basé sur l'industrie culturelle est sa pleine capacité d'expansion mondiale. D'où la nécessité pour les gestionnaires des grandes entreprises transnationales, qui proviennent toutes des pays hautement industrialisés et largement dominés par les États-Unis, de procéder à l'atomisation des sociétés, à l'uniformisation de leurs besoins et à la limitation maximale du degré d'imprévisibilité de l'action sociale.

Nous assistons ainsi à la mise en place des structures propres à l'exercice d'une démocratie de plus en plus restreinte, dans laquelle l'ultime pouvoir de décision appartient aux gestionnaires du savoir, c'est-à-dire à ceux qui maîtrisent les sciences et les techniques de manière à contribuer à un développement toujours plus poussé et plus rapide de l'informatique et des télécommunications, puisque ce sont ces technologies qui, d'une part, permettent de prévoir les situations et, d'autre part, de conditionner les mentalités et les comportements. D'où l'actuelle diffusion dans le monde entier, par les puissances qui contrôlent les communications, d'une multitude de discours contre l'interventionnisme des États dans les économies nationales. *Cette critique négative du rôle des États et la valorisation de l'entreprise privée n'ont rien à voir avec un supposé néolibéralisme, car, loin d'avoir pour objectif de rétablir le pouvoir capitaliste traditionnel et la reprise des économies nationales, elles ne visent, au contraire, qu'à lever les derniers obstacles à la performance internationale des industries oligopolistiques qui exigent l'uniformisation générale des modes de vie, des savoirs et des savoir-faire.*

Ce qui explique le rôle prépondérant que, dans leur stratégie, les gestionnaires accordent à la production culturelle. Il s'agit pour eux, par le biais d'une programmation et d'une diffusion massive des mêmes informations et des mêmes messages, de créer partout et en même temps les mêmes besoins, d'inculquer les mêmes goûts, de développer les mêmes compétences, de répandre les mêmes idées, de promouvoir les mêmes valeurs. Il s'agit, en bref, de détruire le potentiel productif de chaque société qui tient à l'originalité de sa culture nationale, à sa manière spécifique d'attribuer utilité et signification aux objets et aux idées. Il s'agit, en bref, de pulvériser toutes les différences culturelles afin de transformer les personnes et les nations en consommatrices passives de tout ce qui dérive des innovations technologiques produites par les firmes transnationales.

Avec comme résultat déjà observable, selon des analyses publiées dans différents numéros du *Courrier de l'UNESCO*, une civilisation mondiale basée sur l'imitation des formes d'expression américaines au détriment de la création selon les valeurs esthétiques, intellectuelles et morales propres à chaque nation, même dans des pays qui possèdent de riches traditions culturelles et qui jouissent de la souveraineté politique.

J'espère que je porte d'assez gros sabots pour qu'on me voie venir et que je n'aurai pas besoin d'insister davantage pour faire sentir combien il est capital que nous ne participions à aucun acte politique dont nous ne contrôlerions pas entièrement toutes les implications. Or, à l'intérieur du Canada, le Québec ne dispose d'aucun des pouvoirs majeurs nécessaires à l'élaboration et à l'application de politiques nationales en matière de communication et d'information, qui sont devenues le moteur principal du développement, non plus qu'en aucune autre matière de contrôle économique ni, enfin, en matière de relations internationales. À la lumière de ces données, il me semble qu'il est facile de voir l'énormité du danger que représente pour le peuple québécois un éventuel traité global de libre-échange entre le Canada et les États-Unis *et qui aurait pour effet incontournable de le soumettre aux impératifs d'expansion d'une puissance industrielle, financière, politique et militaire fondée sur son impérialisme, en plus de le lier à un modèle de société où règnent les pires inégalités sociales et la violence sous toutes ses formes.*

Que MM. Mulroney et Bourassa feignent de l'ignorer est terrifiant, mais attendu. Que MM. Parizeau et Landry ne l'appréhendent pas est plus étonnant, voire incompréhensible, si l'on veut bien continuer à croire à la sincérité de leur engagement dans la défense des intérêts du peuple québécois.

Non, il ne vaut vraiment pas la peine, en réaction contre le Canada, de nous jeter dans les bras des États-Unis. Aujourd'hui, comme jadis et naguère, le meilleur moyen de garantir notre existence est de développer notre créativité en sauvegardant notre identité. Elle est la voie royale qui nous permettra de prendre avec avantage le tournant décisif de la révolution technologique.

L'Aut'Journal, n° 57, octobre 1987, p. 17.

Nous dépêtrer du déclin de l'empire américain ou nous y enliser? *That is the question*

En 1987, un projet d'accord de libre-échange avec les États-Unis est à l'ordre du jour. Pratiquement toute la classe politique (tant au Canada qu'au Québec) est en faveur de l'accord. *L'Aut'Journal* a publié un dossier sur la question.

Il est symptomatique de la crise que nous vivons — celle des idées autant que celle du système — que le débat amorcé autour d'un éventuel accord de libre-échange entre le Canada et les États-Unis ne déborde quasiment pas l'analyse économiste, simpliste s'il en est une, car incapable de remettre en question les principes d'un modèle de développement fondé sur un système de production et d'échanges dépassé qui, non seulement s'avère aujourd'hui inadéquat aux exigences de la révolution technologique, mais s'est révélé au cours du XXᵉ siècle tragiquement désastreux. Le capitalisme impérialiste est en effet aux sources non seulement de la pauvreté toujours plus extrême du Tiers-Monde, mais de la famine qui y sévit, comme il est la cause, aujourd'hui incontestée, des deux guerres mondiales et celle, aussi sûre quoique moins immédiatement évidente, de presque toutes les guerres régionales. Sans compter qu'il est aussi responsable de l'endettement de toutes les économies nationales, des riches comme des pauvres, endettement impossible à surmonter et qui tient toutes les sociétés au bord du gouffre d'une troisième guerre mondiale, encore une fois seule porte de sortie de l'oligarchie qui commande le système et en profite.

UN MODÈLE DE DÉVELOPPEMENT DÉSUET

Devant cet état de fait et à mesure que s'aggrave et s'amplifie la crise, qui est l'aboutissement global (car affectant solidairement la totalité du globe) d'un processus ininterrompu de surexploitation des richesses humaines et naturelles dont le dernier avatar en liste est une pollution destructrice de notre environnement terrestre, processus encore, quoique dans une mesure toujours moindre, largement dominé par les États-Unis, ne devient-il pas absurde autant qu'inefficace de restreindre à ses seules conséquences économiques la réflexion critique sur l'avenir de la société québécoise dans un cadre de libre-échange avec ce pays voisin?

Ne serait-il pas plus salutaire, particulièrement en ces jours d'hystérie financière où pouvoirs publics et médias tentent de nous faire vivre au rythme des accès de fièvre des cotes boursières, de nous interroger sur les moyens à prendre pour nous dépêtrer, plutôt que nous y enliser, de la déclinante organisation économico-politique américaine qui fonctionne sur l'exportation vers un marché mondial à la limite de la saturation et qui voudrait bien, par conséquent, envahir le nôtre sans aucune restriction, particulièrement avec ses biens culturels devenus son *nouvel instrument de domination*; qui fonctionne aussi, il importe de ne jamais le perdre de vue, sur la recherche militaire, sur la production et la vente d'armes de plus en plus coûteuses et meurtrières?

Ne serait-il pas plus fécond de profiter du débat suscité par la problématique du libre-échange pour tenter d'élaborer, dans toutes ses dimensions, un projet de société qui nous libérerait de ce modèle de développement aussi néfaste que désuet?

UN MÊME SYSTÈME DE RÉFÉRENCES

Malheureusement, à prendre connaissance des nombreuses prises de position élaborées autant par les adversaires que par les partisans du projet d'accord, force est de constater que les deux camps produisent des analyses qui toutes également relèvent du même système de références. Pas plus les uns que les autres, en effet, ne remettent fondamentalement en question la pertinence, la validité et la légitimité de l'ordre établi, comme si tous également le considéraient de droit divin ou fondé en raison, alors qu'issu de la révolution industrielle, il n'est qu'historique et parfaitement arbitraire.

Avec le résultat que partisans et adversaires discourent à qui mieux mieux comme s'ils n'avaient pas vraiment pris conscience des transformations majeures opérées dans nos sociétés capitalistes; comme s'ils ne voyaient pas qu'elles sont devenues des sociétés décisionnelles de moins en moins fondées sur la propriété privée des moyens de production, mais davantage sur leur contrôle exercé conjointement par les gestionnaires de l'État, du marché et du savoir; comme s'ils n'avaient pas vraiment pris conscience que la révolution technologique, tout en ne faisant pas disparaître le capital et le travail comme forces productives importantes, les a toutefois remplacées par les sciences et les techniques comme moteur principal du développement économique, social et culturel des nations.

150 ANS TROP TARD!

Nous pouvons ainsi voir notre récente fournée nationale d'industriels et de commerçants, et leurs porte-parole: les Bourassa et les Parizeau (manifestement atteints du syndrome de la tête à Papineau) s'imaginer que le libre-échange leur donne enfin la chance d'accomplir leur propre révolution bourgeoise, sans comprendre qu'elle est bel et bien révolue et qu'ils arrivent 150 ans trop tard pour en faire leur profit.

Ainsi en est-il des adversaires du libre-échange et particulièrement des chefs syndicaux. Ils proposent des stratégies de lutte qui ne tiennent pas compte des modifications majeures opérées dans les rapports de force sociaux par les transformations du mode de production. Ils continuent à se battre comme s'ils avaient affaire aux propriétaires des moyens de production, sans voir que l'issue des luttes ne dépend plus d'un quelconque rapport réel des forces en présence, que les conflits, au contraire, trouvent de plus en plus rarement leurs solutions au terme d'affrontements ou de négociations entre les parties directement impliquées, mais qu'ils se règlent plutôt par concertation transversale entre les gestionnaires de diverses instances du pouvoir dont les solutions visent toujours à adapter le fonctionnement des entreprises aux besoins prioritaires de l'ordre économique mondial. C'est pourquoi il est vain pour les travailleurs de s'opposer au libre-échange en invoquant le spectre des pertes d'emplois, car à l'intérieur du système actuel, accord ou non, ils disparaîtront. Il serait beaucoup plus efficace de contribuer à la prise de conscience de l'urgence de créer un nouveau modèle de développement.

MAÎTRISER LA RÉVOLUTION TECHNOLOGIQUE

D'où la nécessité absolue pour toutes les forces vives de la société québécoise, c'est-à-dire les forces qui ne visent pas uniquement le profit comme raison universelle de vivre, d'axer leur lutte contre le libre-échange sur la recherche de moyens propres à nous permettre de transformer en forces collectives favorables à notre épanouissement national et social les multiples possibilités de développement humain que recèle la révolution technologique si nous nous organisons pour la maîtriser, plutôt que de nous laisser organiser par ceux qui la contrôlent déjà trop. Laissons nos capitalistes indigènes s'essouffler derrière leur rêve de révolution bourgeoise. Pour nous, tâchons de ne pas rater la révolution technologique, en l'enracinant dans notre langue et notre culture, dans nos aspirations à une société équitable, pacifique et écologique.

L'Aut'Journal, n° 58, novembre 1987, p. 9.

Ultime horreur du capitalisme :
le sacrifice des cultures

En pleine guerre du Golfe, Andrée Ferretti prend part au débat pour souligner la nécessité de l'indépendance du Québec afin d'échapper au modèle unique de développement.

Il s'agit, nous disent-ils, d'une juste cause : imposer à la planète un nouvel ordre mondial, c'est-à-dire la soumission de l'humanité entière à la *lex americana*.

Cette guerre, dite du Golfe, est en effet l'occasion attendue par les États capitalistes pour mener un dernier acte d'agression contre l'intelligence et la liberté de tous les peuples de la Terre, pour imposer une civilisation basée sur l'uniformisation générale des modes de vie et de pensée. Puisque la rentabilité du nouvel ordre économique dépend essentiellement de ses possibilités d'expansion mondiale, il repose nécessairement sur la destruction du potentiel créateur de chaque peuple, de chaque nation qui tient à l'originalité de sa culture, à sa manière spécifique d'être dans le monde, de résoudre les problèmes qui se posent à elle.

D'où l'importance plus grande que jamais, aujourd'hui, pour chaque nation de tenir à sa différence, d'échapper au modèle unique de développement imposé par les puissances industrielles, financières et militaires contrôlées par l'impérialisme américain et producteur de violence, de pauvreté et d'injustices de toutes sortes.

À l'heure où le peuple québécois s'apprête à faire un choix politique majeur qui déterminera pour longtemps son avenir, il me semble que cette guerre nous fournit une raison de plus, et la plus immédiatement importante, de choisir l'indépendance. Non seulement pour ne pas être entraînés malgré notre volonté dans une participation honteuse et coûteuse à laquelle nous voue la servilité du gouvernement canadien aux intérêts américains, mais parce que la souveraineté est la seule voie possible de nous créer un cadre de vie nationale nous permettant d'établir nos propres priorités, de réaliser nos objectifs, de faire face à la menace d'assujettissement à des valeurs profondément étrangères aux nôtres. Avec la conscience que cette affirmation de notre spécificité, loin de nous isoler, de nous enfermer dans un cocon, est au contraire la voie la plus exigeante pour nous ouvrir au monde, pour partager avec les autres peuples qui tiennent à leur propre identité, à leur propre culture, notre pouvoir mutuel de création pour la construction d'un autre monde axé sur la recherche de l'équité et de la paix, sur le respect des différences et de la liberté collective de chacun.

L'Aut'Journal, n° 90, février 1991, p. 9.

Élégance suprême de mon âme

Andrée Ferretti a été invitée, à l'instar de nombreux autres écrivains et écrivaines, à contribuer au collectif *La vie et la littérature au collégial*, qui est né grâce à l'initiative de M. Ernesto Sánchez, coordonnateur du comité pédagogique de français des cégeps, et a répondu aux deux questions suivantes : 1) Comment expliquez-vous le grand intérêt que vous avez développé pour la langue et la littérature ? 2) D'après vous, que peut-on faire dans les collèges du Québec pour susciter chez les étudiants un intérêt analogue ?

J'ai onze ans. Un dimanche de l'été 1946, des centaines de familles de petits artisans et d'ouvriers, dont la mienne, se prélassent sur le sable gris de la Plage idéale qui borde la rivière des Prairies, au nord-ouest de Montréal. Je ne m'amuse pas, paralysée par la monstruosité de ce que j'entends. Par dizaines, des phrases comme celles-ci : « *À matin, câlisse, j'm'ai aparçu qu'y avait un flat sus mon char, ça fa qu'on é venus dans le truck à mon beau-frère. Crisse qu'on sé fette barouetter, mais astheure, on é ben, pis…* » Suit un magnifique geste qui tente d'embrasser tout le paysage visible.

Pénurie habituelle de mots pour exprimer la beauté des choses, la douceur ou la violence des sentiments, la justesse d'une idée. Pénurie de mots plus affligeante encore que le déluge de phrases mal construites où la pensée se perd sans retour, tissées de mots mal prononcés, de mots français mal employés, de mots anglais, de mots grossiers, de jurons et de blasphèmes. Langue malmenée, bafouée, défigurée, qui blesse à vif toutes les fibres de mon être. Blessure inavouable à un entourage ignorant du mal qui le ronge. Je me tiens donc cachée derrière un arbre et me laisse aller à ma peine familière. Mais, en ce dimanche de l'été 1946, elle devient peu à peu colère. Une colère qui me bouleverse entièrement et qui, depuis, ne m'a jamais quittée. Elle me vient de la certitude aussi soudaine que profonde, à jamais inébranlable, que cette langue pervertie est la manifestation éclatante d'une aliénation. Je ne sais pas encore en comprendre la nature ni m'en expliquer les causes. Je ne m'engage pas moins, sur-le-champ, à lutter contre cette situation, jusqu'à la mort s'il le faut. D'une manière tout aussi fulgurante, je décide d'asseoir mon combat sur une fière maîtrise de la langue française. Je la porterai comme une belle robe, me dis-je, suprême élégance de mon âme. Plus tard, quand je connus notre histoire, je voulus l'élever comme le mur où viendraient se casser les reins du colonialisme.

Ainsi, de l'enfance jusqu'à l'écriture de mon premier roman, à l'âge de 51 ans, la langue, outil de la pensée rigoureuse et de l'expression achevée, a été pour moi l'enjeu d'une lutte à finir avec l'aliénation, le territoire à conquérir où protéger et affirmer notre identité, où ériger notre lutte.

Quant à savoir comment les enseignants peuvent amener les élèves à une bonne maîtrise de la langue française, comment ils peuvent leur inculquer le désir de lire et d'écrire, je doute de l'existence d'une réponse scientifique à cette question.

Pour ma part, j'ai enseigné quatre ans à l'École nationale de théâtre. Pour unique et courte qu'elle fut, cette expérience m'a appris et convaincue que, le plus souvent, le premier de classe n'est pas l'élève le plus brillant ni le plus ambitieux, mais le plus amoureux. De là à conclure à la nécessité impérieuse de rendre aimable la matière enseignée, il n'y a qu'un pas que je franchis d'autant plus allègrement que je crois connaître la seule méthode infaillible pour y parvenir : l'aimer soi-même passionnément, si fort que le désir d'en approfondir sans fin la connaissance, pour être mieux en mesure de la dispenser dans sa forme la plus accomplie, relève du don même de soi, aussi naturel et puissant que la rumeur de la mer.

Bref, je ne saurais rien démontrer, mais je pense qu'à l'égal de toutes les autres, l'aventure de la connaissance naît d'une passion, à la faveur inattendue d'une rencontre bouleversante. Dans cette aventure, à l'école, au collège, à l'université, le professeur est le chemin des découvertes. Plus il sera passionnant, mieux il attisera le désir des routes infinies.

La littérature et la vie au collégial, Montréal, Modulo éditeur, 1991, p. 42-43.

À démagogue, démagogue et demi

Dans cette lettre envoyée au journal *Le Devoir*, Andrée Ferretti répondait à Louis Cornellier qui avait remis en cause le « mythe Michel Chartrand » en alléguant que sous des dehors progressistes, le fameux syndicaliste véhiculait les pires préjugés anti-intellectuels.

Depuis toujours, et pour longtemps encore, il faut l'espérer, Michel Chartrand parle comme si ses phrases étaient composées de petites cartouches de dynamite. C'est ainsi que, depuis près de 50 ans, chacun de ses discours fait exploser un mensonge.

Aujourd'hui, c'est le discours des langues de bois des faux savants, spécialistes incultes d'un champ de plus en plus limité d'un savoir particulier qui produit une véritable déréalisation des phénomènes, jaseuses, donc, du rien, à quoi correspond nécessairement un rien de pensée.

Parmi ces instruits d'une partie toujours plus infime de la réalité, abstraite de toutes les autres qui la constituent, trônent les économistes dont il ne faut pas se surprendre mais se révolter qu'ils confondent si allégrement la liberté des humains avec la liberté du commerce.

Pourfendre ces concepteurs d'idées molles, ces producteurs de savoirs partiels, ce n'est pas, comme le prétend Louis Cornellier, « parier sur un savoir sans mots », c'est, au contraire, affirmer l'importance de la connaissance qui ne peut renaître, aujourd'hui, que de l'affrontement de l'intelligence sensible avec la perversion du réel qui consiste actuellement, comme le démontre Jean Baudrillard, à dépouiller « les choses, les signes, les actions de leur essence, de leur concept, de leur valeur, de leurs références, de leur origine et de leur fin ». Penser, aujourd'hui, c'est tenter de ramener sans cesse l'être et la parole au réel.

Dans nos sociétés où se meurent les acteurs sociaux, où les situations conflictuelles sont balayées sous le tapis d'un discours consensuel, où la démocratie n'est plus qu'un tissu de procédures judiciaires et d'institutions formelles, la force des idées d'un Michel Chartrand et leur densité d'expression viennent justement de la conviction que la liberté n'a d'autre cause qu'une intelligence adéquate à la nature réelle de toutes choses, de tous phénomènes.

Il ne faut même plus être révolutionnaire, aujourd'hui, il suffit d'être probe pour éprouver une aspiration salutaire au désordre, devant la tentative matérialiste des divers agents du pouvoir d'imposer partout les mêmes besoins et les mêmes manières de les satisfaire, devant l'efficacité du nouvel ordre économique reposant sur l'instauration à l'échelle mondiale d'une nouvelle civilisation basée sur la plus grande uniformisation possible des cultures, afin de transformer les sociétés en consommatrices passives des produits matériels et culturels fabriqués par quelques grandes firmes transnationales.

Sur le plan politique, nous assistons ainsi à la mise en place de structures propres à l'étouffement de la démocratie, où gouverner n'est plus choisir, mais sonder, où l'ultime pouvoir de décision appartient aux gestionnaires des savoirs décrits plus haut et dénoncés par Michel Chartrand.

Nous savons tous, en effet, que les élus du peuple n'orientent plus les politiques qui gouvernent les sociétés post-industrielles. Les dirigeants politiques ne servent plus que d'écrans publics sur lesquels sont projetés et imposés les objectifs des décideurs, définis au sein des conseils d'administration des industries oligopolistiques ; objectifs qui n'ont rien en commun avec les besoins réels et les aspirations des populations touchées par les décisions des décideurs, avec tout ce qui s'ensuit d'incohérences et d'injustices dans notre organisation sociale.

Parce que le savoir des gestionnaires non seulement isole les divers aspects de la réalité, la rendant inintelligible, mais parce que cette inintelligibilité réduit à zéro la communication sociale. Et c'est voulu.

Et c'est ce que Michel Chartrand fustige, quand il regrette la cohésion perdue de l'ancienne société bâtie par les cultivateurs. Interpréter autrement ces propos relève de la malhonnêteté intellectuelle ou de l'ignorance « d'un jeune baveux, au discours creux et arrogant ». Ce qu'il fallait démontrer.

Mais il n'est pas étonnant que l'intelligence ravageuse et l'ampleur du souffle que met Michel Chartrand à stigmatiser les pouvoirs démesurés de nos instruits incultes, de ceux-là qui sèment à tout vent une multitude d'informations disparates, sans aucun souci de l'unité nécessaire entre l'expérience et la conscience, entre le savoir et l'action qui caractérise la vraie connaissance, lui aient attiré les foudres d'un pseudo-penseur qui, à l'instar de Bernard-Henri Lévy, a une conception exaltée du pouvoir de la philosophie à saisir le réel en le soumettant à une activité intellectuelle désincarnée.

Manifestement, M. Cornellier ignore tout de l'épistémologie contemporaine, lacune qui pourrait paraître insignifiante s'il ne s'arrogeait le droit de critiquer le discours de Michel Chartrand en utilisant, à tort et de travers, quelques concepts de cette discipline.

Autrement inadmissible est la tentative de M. Cornellier de dévoyer le sens du discours et de l'action de Michel Chartrand, d'autant plus qu'il le fait avec un manque terrifiant de rigueur intellectuelle. Or de tous les actes démagogiques de falsification, il n'en est pas de plus grave que ce manque de rigueur.

Le Devoir, 18 juin 1991, cahier B, p. 8.

Faut-il éclater d'un rire sauvage?

Réponse d'Andrée Ferretti à une déclaration intempestive
et agressante d'Ovide Mercredi.

« Les autochtones ne toléreront pas que le Québec se sépare sans leur permission », titre *Le Devoir*, à la première page de l'édition du 27 août 1991.

Quelle réaction avoir devant l'incongruité d'une telle déclaration? La mienne en fut une d'ébahissement, je n'en croyais vraiment pas mes yeux. J'ai donc été piquée par la curiosité, assez pour entreprendre la lecture de l'article, pendant laquelle j'ai été partagée entre le rire et la colère.

Sans rire, lui, le plus sérieusement du monde, même, M. Ovide Mercredi aurait, paraît-il, affirmé : « Nous sommes les vrais fondateurs du pays. »

Ah! oui? Et qu'ont-ils donc fondé?

LES FONDATEURS DU PAYS

Je n'ai jamais lu dans un livre d'histoire ni entendu dire par quelque bouche amérindienne du Canada que les Jacques Cartier, en mettant les pieds à Gaspé, les Champlain, à Québec et les Maisonneuve, à Montréal, avaient pu y admirer des villages et des villes, y visiter des industries, des écoles, des hôpitaux, des églises, pas même des champs cultivés ou des prairies pleines de moutons et de bœufs, pas plus qu'ils ne pouvaient circuler sur des routes carrossables.

Nos Amérindiens étaient, en ce temps-là, de véritables « sauvages », nomades pour la très grande majorité, et les territoires aux limites très floues qu'ils occupaient pendant un certain temps ne l'étaient pas toujours par les mêmes tribus. Car ils n'avaient d'occupations plus constantes que celles de courir les bois, de descendre et remonter les rivières, à la recherche du gibier propre à assurer leur subsistance quotidienne.

Des millénaires après les Européens, les Chinois et autres peuples orientaux, ils n'avaient développé aucune aptitude à transformer la nature, en vue de modifier l'ordre des choses. À part certaines habiletés à fabriquer ustensiles, outils et armes des plus rudimentaires, ils n'avaient inventé ni appris des autres civilisations — dont ils ignoraient d'ailleurs l'existence — les savoirs et les techniques propres à assurer un progrès de leurs modes de vie, à travers des temps successifs et cumulatifs de biens et d'expériences. Au contraire, ils répétaient de génération en génération les mêmes gestes de survie, sans l'assurer suffisamment pour accéder aux conditions qui auraient permis, par exemple, la pratique de l'écriture.

Il n'est dès lors pas étonnant qu'ils aient accueilli les Européens à bras ouverts. Non, comme le veut un certain mythe raciste, parce que ces tribus errantes d'hommes, de femmes et d'enfants étaient plus pacifiques (voir les guerres d'extermination qu'elles se sont livrées entre elles) et généreuses que les autres êtres humains, mais bien parce qu'ils ont été fascinés par la richesse, le savoir et le savoir-faire des nouveaux venus.

Non seulement n'ont-ils pas perçu cette arrivée comme une invasion et une menace, ils comprirent plutôt que l'adoption de leurs outils et de leurs méthodes pourrait leur faciliter l'existence, sans soupçonner, par ailleurs, qu'ils venaient d'entrer dans l'Histoire dans une bien mauvaise posture, ainsi assujettis à des modes de vie d'un autre âge qui, n'en déplaise à certains écologistes et autres idéologues romantiques, ne pouvaient que les rendre extrêmement vulnérables aux ambitions de ces Européens bâtisseurs qui n'hésitèrent jamais, Français et Anglais mêmement, à les repousser toujours ailleurs, pour s'approprier les espaces nécessaires à la fondation de villes, l'installation de chantiers miniers et forestiers, à la construction de routes, chemins de fer et barrages.

Et voilà! pour les fondateurs du pays.

LE STATUT DE NATION

Qu'en est-il maintenant du droit à l'autodétermination des peuples aborigènes du Canada? Qu'en est-il de leur prétendu statut de « nation »?

Voilà un autre mythe à dégonfler.

N'accède pas peuple qui veut à un statut de nation ayant droit à l'autodétermination. Il faut remplir certaines conditions, dont celles d'être un peuple qui parle la même langue, partage une même histoire, une même culture et, surtout, possède son propre territoire. S'il existe une infinité de peuples amérindiens dans l'ensemble du Canada, il n'existe aucune nation, car aucun de ces peuples ne possède son territoire.

Après avoir pris possession du pays, par les armes, faut-il le rappeler, les Britanniques, au fur et à mesure que cela leur devenait utile, déplaçaient les diverses populations amérindiennes et les regroupaient sur des territoires qu'ils jugeaient alors inexploitables de manière rentable. Par traités, ils cédaient à ces Indiens regroupés divers droits d'occupation et d'exploitation de ces réserves, mais ils en gardaient les titres fonciers de propriété et les plaçaient, de même que leurs habitants, sous l'autorité directe du Bureau, puis du ministère des Affaires indiennes.

Ensuite, sans modifier ces traités, la Constitution canadienne, à l'avènement de la Confédération, a cédé à chaque province la propriété exclusive de son territoire. D'où :

1. le Québec appartient aux Québécois;
2. seul le gouvernement québécois, élu démocratiquement, est en mesure de négocier avec les divers peuples amérindiens

du Québec la cession de droits territoriaux qui permettraient à l'un et/ou l'autre de ces peuples d'accéder au statut de nation ayant droit à l'autodétermination.

LE DROIT À L'AUTODÉTERMINATION

Cela dit, je suis favorable à l'autodétermination des peuples autochtones du Québec, comme la très grande majorité des Québécoises et des Québécois, si l'on en juge par les rapports présentés à la commission Bélanger-Campeau par tous les grands organismes socioéconomiques, particulièrement ceux préconisant l'indépendance du Québec. Tous ces mémoires recommandent en effet l'inscription de ce droit dans la future Constitution du Québec.

Quant aux attributs attachés à ce droit, il est proposé que nous les négociions avec chaque peuple habitant notre territoire, de manière à ce que chacun puisse, ici, se bâtir enfin un univers propre qu'il développera de manière autonome, à la mesure de ses moyens, de ses besoins et aspirations, en tenant compte, bien entendu, des intérêts de la majorité, puisque aussi bien nous voulons vivre dans une société démocratique.

Je suggère donc à M. Ovide Mercredi d'encourager l'indépendance du Québec, plutôt que de s'y opposer. Il pourrait avoir ainsi la chance de voir quelques-uns des peuples qu'il défend accéder à un véritable statut de nation et non à celui, dérisoire, défini dans la *Loi sur les Indiens*, en vigueur depuis 1951, et dont il connaît certainement aussi bien que moi les limites infranchissables.

Le Devoir, 30 août 1991, p. 15.

Ne pas tendre l'autre joue

Le texte précédent, « Faut-il éclater d'un rire sauvage ? », a suscité
un vif débat dans les pages du *Devoir*. Y ont entre autres pris part
Rémi Savard, Denys Delâge, Daniel Latouche et Armand McKenzie. Usant
de son droit de réplique, Andrée Ferretti répond à ses critiques.

Bien qu'occidentale voire même occidentaliste, prétendent d'aucuns, je ne suis pas, néanmoins, suffisamment chrétienne ni Canadienne française pour croire que je suis née coupable, vouée pour l'éternité à me laisser manger la laine sur le dos, sans me rebeller.

Ainsi, je riposte, lorsqu'on m'agresse, d'où que vienne l'attaque.

Ainsi, indépendantiste radicale (je vois mal comment on peut l'être autrement), je considère comme ennemi — et donc je le combats ou me défends contre lui — tout pouvoir qui s'oppose à la libération nationale de mon peuple et à son accession à la pleine souveraineté politique, quels que soient la nature et le degré de puissance réelle ou affichée de ce pouvoir.

Ainsi, je m'indigne quand l'actuelle coalition *Coast to coast* des Amérindiens affirme haut et fort son intolérance à l'idée même de l'indépendance du Québec, et je considère de mon devoir d'au moins prendre acte de cette déclaration de guerre.

Ainsi, j'accorderais plus de crédit aux propos de mes détracteurs, tous ardents chevaliers de la vie primitive, semble-t-il, bien que j'aie entendu dire qu'ils voyagent plus volontiers en auto et en avion qu'en canoë, qu'ils préfèrent l'Institut de cardiologie à la tisane la mieux concoctée pour soigner leurs palpitations et, même, qu'ils ne savent plus écrire que sur des machines à traitement de texte, si ces messieurs de savante espèce avaient fait preuve de quelque rationnelle impartialité, ne serait-ce qu'en rappelant que la violence appelle la violence.

Ainsi, même si, contrairement à ce qu'il a compris, je n'ai porté aucun jugement de valeur sur la civilisation amérindienne, affirmant seulement qu'elle n'était pas fondatrice du pays, je veux dire à

M. Armand McKenzie (*Le Devoir*, 11 septembre 1991) mon profond regret de l'avoir blessé par la violence de mon ton. Je comprends bien cette réaction inévitable chez tout humain qui ne dissocie pas artificiellement son être individuel de son être collectif.

Ainsi, je suis fatiguée, en tant que Québécoise, de servir de bouc émissaire pour toutes les injustices, les intolérances, les mépris, les exploitations, les oppressions, les moindres fautes qui se commettent *A mare usque ad mare*. Il est si facile d'attribuer ce rôle au peuple québécois, lui qui est à la fois assez fort pour qu'on tente de l'écraser, sans craindre le blâme universel, et encore trop faible, n'ayant pas d'État souverain pour faire valoir sa version de l'Histoire.

Avec la reprise de la lutte indépendantiste dans les années soixante, il était néanmoins passé le temps où toute la nation québécoise consentait à être la victime silencieuse des innombrables effets du colonialisme, issu de la conquête anglaise par les armes et dont l'ultime avatar est sa tentative de saper la légitimité de la lutte des Québécois pour leur indépendance, en laissant répandre sur eux, à travers le monde, mensonges et calomnies.

Cela étant dit, je ne veux pas, à ce moment-ci du débat que j'ai soulevé, intervenir à nouveau sur le fond du problème, d'autant moins que MM. Delâge et Latouche (*Le Devoir*, 12, 13, 14 septembre) lui ont apporté un éclairage pertinent qui en fait voir toute la complexité et qui devrait modifier les visions ou trop idylliques ou trop négatives de nos rapports historiques avec les Amérindiens.

Rapports, quoi qu'on fasse semblant de croire, que je souhaite ardemment d'intelligence plutôt que de force, ne serait-ce que parce qu'il est de notre intérêt commun de faire éclater la fédération canadienne qui, autrement, après avoir mis une fois de plus le Québec au pas, n'aurait d'autre empressement que de renvoyer les Amérindiens dans leurs réserves.

Ainsi, je le répète, à l'instar de tous les organismes indépendantistes du Québec, sans aucune exception (voir les rapports présentés à la commission Bélanger-Campeau), je leur tends sincèrement la main, avec la même sincérité dont le gouvernement de René Lévesque a déjà donné la preuve.

Le Devoir, 19 septembre 1991, cahier B, p. 8.

L'histoire en espérance

À la demande d'Hélène Pelletier-Baillargeon qui a préparé *Un héritage et des projets*, un recueil en hommage à Simonne Monet-Chartrand, récemment décédée, Andrée Ferretti a rédigé ce texte pour souligner dans quel contexte s'est inscrit l'engagement de cette grande militante dans tous ses combats pour la justice et la liberté.

De ce qui mûrissait souterrainement depuis plusieurs années, tout s'annonce soudain, en septembre 1959, avec l'éclatement, sitôt mort Maurice Duplessis, de la puissance de créer du peuple canadien-français, de sa puissance de crier. On assiste alors à un vigoureux jaillissement d'œuvres littéraires et artistiques, à un foisonnement d'actes politiques et révolutionnaires. Puisés dans un imaginaire et une révolte qui couvaient fertilement sous le poids des interdits, poèmes et chansons, journaux et revues, envolées oratoires, manifestations de rue et explosions de bombes viennent maintenant irriguer la conscience collective, faisant naître dans l'étonnement et la fierté, dans l'enthousiasme et la colère, un immense désir d'émancipation nationale.

Ainsi inaugurées dans l'espérance d'une plus grande maîtrise du destin national, les décennies de 1960 et 1970 seront entièrement déterminées par la question nationale, avec l'indépendance du Québec comme enjeu primordial des débats et combats constitutionnels. Dans cette perspective, la période connaîtra son apogée, en novembre 1976, avec l'élection du Parti québécois, et s'achèvera en queue de poisson, laissant le problème entier, en mai 1980, avec l'échec du référendum sur le projet de souveraineté-association du gouvernement péquiste.

Quels que soient, en effet, les termes dans lesquels on la pose, la question nationale influence alors toute la dynamique politique, tant fédérale que québécoise. À la charnière des revendications non seulement constitutionnelles et politiques, mais aussi économiques, sociales, culturelles et linguistiques, elle fonde les réformes entreprises ou les tentatives de réformes proposées par les gouvernements en place, comme les divers projets de société élaborés par l'ensemble du mouvement indépendantiste. Elle est aussi, bien sûr, à la source de la répression constante, politique, policière et militaire, exercée aussi bien contre les mouvements démocratiques de contestation sociale et de libération nationale, que le Front de libération du Québec, par les pouvoirs tant municipal que provincial et fédéral, tous également subordonnés aux diktats politiques et aux intérêts économiques de la classe dominante anglo-saxonne. Cette répression culmine, en octobre 1970, dans l'occupation du Québec par l'armée canadienne et dans l'arrestation et l'emprisonnement, sans justification, de plus de 500 personnes, par suite de la mise en vigueur de la *Loi sur les mesures de gu*erre, décrétée par Pierre Elliott Trudeau, alors premier ministre du Canada.

Et je suis étonnée, ahurie que si vite ces années effervescentes soient devenues quelque chose du passé, histoire à reconstituer, en vue d'une aussi pleine compréhension que possible de la nature et du sens des engagements politiques et sociaux de Simonne Monet-Chartrand, et des témoignages qui lui sont ici rendus.

Simonne Monet-Chartrand occupe en effet une place tout à fait singulière dans la mouvance militante de cette époque. D'une part, bien qu'elle ait participé à la plupart des luttes, alors menées sur tous les fronts, on la rencontre rarement à la une des journaux et à peine plus souvent au cœur de l'événement, presque toujours, en revanche, à sa périphérie. Simonne militait plus volontiers dans les lieux désertés par les mouvements et les partis, plutôt que sur les estrades. On la retrouve là où sa parole, soutenue par l'exemplarité de sa vie, pouvait, mieux que tout autre, atteindre le cœur des gens plus sensibles aux souffrances et aux humiliations qu'entraîne nécessairement l'injustice sous toutes ses formes, qu'aux structures et aux fonctionnements des systèmes qui la produisent. Pédagogue et démocrate, elle croyait au travail d'éducation populaire, soucieuse d'éveiller la conscience des gens à la dimension politique de tous les problèmes sociaux et, ainsi, de les amener à vouloir s'organiser pour changer l'ordre des choses. Souci d'autant plus profond et constant, comme en témoigne son autobiographie, que, pour elle, accepter la moindre injustice, c'était se faire, consciemment ou non, complice de toutes les dominations, exploitations ou violences qui régissent le monde.

D'autre part, même si elle partageait globalement les points de vue et les objectifs des idéologies de la libération et du marxisme qui inspiraient alors les luttes menées ici et partout dans le monde pour l'émancipation des peuples, des ouvriers, des femmes, des Noirs américains, de tous les dominés et/ou opprimés, les considérant comme des expressions concrètes et agissantes des valeurs chrétiennes et humanistes auxquelles elle était profondément attachée, son engagement, tant dans l'action que dans la réflexion, ne dérivait d'aucune position idéologique rigoureuse. De même, il ne supposait en rien la nécessité d'un renversement révolutionnaire du système. Pourtant, comme le prouve la diversité des causes qu'elle soutenait, pacifiste et féministe, socialiste et indépendantiste, Simonne savait que l'avènement d'une société juste, pacifique et libre demeure impossible tant que perdure en elle une seule domination spécifique.

Et c'est précisément avec cette conviction et dans l'action qui en découle que le militantisme de Simonne Monet-Chartrand s'inscrit au cœur de la question nationale, telle que posée par le mouvement de libération nationale, pendant toute la décennie 1960 et jusqu'au milieu de la décennie 1970: lutte qui, toujours, dépassait le seul contentieux constitutionnel, pour remettre en cause les déterminations des rapports entre colonisateurs et colonisés, entre capitalistes et travailleurs, entre hommes et femmes, entre clercs et laïcs, entre les nations impérialistes et les peuples dominés. Sachant que la liberté est indivise, les militantes et les militants engagés dans ce mouvement savaient aussi que l'indépendance du Québec ne pouvait advenir que porteuse d'un projet de société véritablement libérateur. Elle n'advint pas, comme chacun sait, allant même de recul en recul, dès le début des années soixante-dix, jusqu'à l'échec du référendum qui, en mai 1980, a enfermé dans une nouvelle impuissance une époque commencée dans l'ivresse des secousses inventives.

Comme ce n'est pas ici le lieu d'analyser les tenants et les aboutissants de cet itinéraire, je me limiterai à en tracer les grandes lignes, avec l'espoir de brosser un tableau aussi vivant que possible du Québec alors si vivant.

LE DÉSIR DE MAÎTRISE

Le 22 juin 1960, le Parti libéral de Jean Lesage remporte les élections québécoises. Commence le temps des mises en chantier de la Révolution tranquille. De la nationalisation de l'électricité à la construction de Manic 5, de l'usage intensif des pouvoirs législatifs de l'État québécois à la modernisation de son appareil administratif, des réformes opérées dans les domaines de l'éducation, de la santé et des services sociaux à la sécularisation des institutions qui y œuvraient, de l'adoption d'un code du travail à la syndicalisation massive des travailleurs des secteurs publics et para-publics, sans oublier la création de quelques institutions financières, gérées en tout ou en partie par l'État, tout un train de mesures est ainsi adopté, dotant le Québec d'outils et de ressources susceptibles d'assurer aux Canadiens français une plus grande maîtrise de leur avenir.

« Maîtres chez nous » avait d'ailleurs été le thème de la campagne électorale québécoise de 1962. S'il manifestait bien la volonté des élites politiques et économiques de mieux contrôler le développement de la société québécoise, le slogan agissait, par ailleurs, dans la conscience du peuple, comme le révélateur de la domination étrangère jusqu'alors exercée sur lui au point de le prolétariser et même sous-prolétariser dans sa grande majorité. Les transformations en cours lui permettaient également de voir combien la réappropriation collective de ses richesses et l'affirmation de son identité nationale étaient non seulement souhaitables mais nécessaires à son épanouissement.

Or même quand un gouvernement provincial, tel celui de Jean Lesage, utilise au maximum et de la manière la plus dynamique qui soit les pouvoirs dévolus au Québec pour élaborer des politiques favorables à une plus grande autodétermination nationale, ce gouvernement nationaliste n'en demeure pas moins dans la logique de l'inféodation du Canada. Ainsi, la Révolution tranquille a vite tourné court, se heurtant, à peine entreprise, à la résistance du pouvoir central à consentir au Québec les pouvoirs nécessaires à la réalisation des objectifs de son gouvernement, même quand celui-ci ne remet aucunement en cause les fondements du fédéralisme.

Cet échec démontrait, une fois de plus, l'impossibilité d'une réforme du fédéralisme canadien, allant dans le sens des intérêts et des aspirations du peuple québécois. C'est dans ce contexte que plusieurs mouvements et partis indépendantistes, porteurs de divers projets de société, sont nés et se sont rapidement développés, puisque aussi bien l'indépendance apparaissait de plus en plus clairement comme le fer de lance et la condition *sine qua non* de tout changement réellement et irréversiblement émancipateur.

Le mouvement de libération nationale ouvrait un nouveau et vaste territoire à la parole et à l'action. Peu à peu l'envahirent la jeunesse intellectuelle, les artistes, les membres de sociétés patriotiques, les travailleurs syndiqués, des milliers de femmes et d'hommes de tous les milieux, depuis longtemps en attente de cette invitation à se construire un pays bien à eux. Ensemble, mais chacune à leur manière et à leur rythme, toutes ces voix se mirent à dire que si l'on veut changer le monde, il faut le mettre en mouvement, c'est-à-dire prendre conscience de l'histoire réelle qui le façonne, puisque c'est en elle que se trouve accumulé ce qui est à connaître et ce qui est à changer. Elles se mirent à dire qu'ici était venu le temps de briser les chaînes qui, depuis la conquête anglaise, emprisonnent le peuple dans une histoire faite par les autres. Ensemble, elles entreprirent d'infléchir le cours de notre histoire.

LA FUSION DU POLITIQUE ET DU CULTUREL

Semblables à des sœurs siamoises, la création intellectuelle et artistique et l'action politique ne cessent donc de se vivifier mutuellement, au cours des années 1960-1976. Des écrivains, dont une majorité de poètes qui, depuis quelques années déjà, publient leurs œuvres à l'Hexagone, sortent de leur tour d'ivoire, des artistes de leurs ateliers et de leurs théâtres, des intellectuels de leurs universités, pour envahir la place publique et exercer ainsi leur fonction sociale fondamentale.

Liberté donne le coup d'envoi, avec la parution de son premier numéro, en janvier 1959. Ses rédacteurs, dont quelques-uns participeront, en septembre 1960, à la fondation du Rassemblement pour l'indépendance nationale ou y militeront activement pendant plusieurs années, forment le premier noyau de réflexion sur la question du Québec. Ils examinent le problème national des Canadiens français à la lumière des sciences sociales, plutôt que des postulats de la religion. Ils s'interrogent particulièrement sur le rôle de la littérature dans la formation d'une culture québécoise moderne et de la présence de cette littérature et du Québec dans le monde. La revue consacre entièrement son numéro de mars 1962 au séparatisme. Elle fonde bientôt le prix Liberté qu'elle accorde chaque année à la personnalité québécoise qui a le mieux symbolisé par sa parole et son action les luttes menées au nom de la liberté et pour sa réalisation dans tous les domaines de la vie humaine. En 1969, la revue décerne son prix à Michel Chartrand.

À partir de 1962, de nombreuses autres revues verront le jour : *Maintenant, Socialisme, Parti pris, Révolution québécoise, Possible(s)*, pour ne nommer que les plus influentes. Tout en attachant une grande importance à la création littéraire et artistique, ces revues consacrent néanmoins la plupart de leurs pages à l'analyse sociopolitique. De manière plus ou moins radicale, toutes font le procès critique de notre passé, soumettant la situation coloniale du Québec à d'implacables réquisitoires, montrant comment la bourgeoisie canadienne se sert de l'État canadien depuis les débuts de la Confédération pour maintenir la nation québécoise dans l'aliénation, le sous-développement et la dépossession. Toutes s'appliquent à définir les conditions politiques, économiques, sociales et culturelles susceptibles de donner naissance à un État québécois indépendant, socialiste et démocratique, capable de réaliser la pleine souveraineté du peuple et de mettre ainsi fin à l'oppression nationale et à l'exploitation capitaliste. Conscients de l'énormité des enjeux du combat, les rédacteurs de ces revues, déjà membres, pour la plupart, d'un des nombreux mouvements indépendantistes et socialistes, en appellent à la politisation, la mobilisation et l'organisation du peuple. *Parti pris* et *Révolution québécoise* uniront leurs efforts pour fonder, en 1965, leur propre mouvement d'organisation et d'action populaire : le Mouvement de libération populaire.

Même en dehors de ces revues et des mouvements alors actifs, les intellectuels et les écrivains épousent en grand nombre les idéaux et les objectifs de libération nationale du peuple québécois. Ils organisent des colloques, participent à des débats, collaborent au journal *L'Indépendance*, fondent *Québec-Presse*, envahissent la page « Des idées, des événements et des hommes » du journal *Le Devoir* et les émissions d'affaires publiques de la radio et de la télévision. Ils prononcent des discours et des conférences sur toutes les tribunes, favorables ou opposées à leur option. Par cette élaboration constante d'une pensée critique toujours mieux informée et cohérente, ils attisent la ferveur révolutionnaire des militantes et des militants, et éveillent la conscience d'un nombre sans cesse croissant de Québécoises et de Québécois à la nécessité d'une transformation radicale de leur société et à celle de s'y engager.

Cette extraordinaire dépense d'énergie intellectuelle portait d'autant plus loin son rayonnement que les artistes, en même temps et, souvent, dans les mêmes lieux et occasions, exprimaient les mêmes réalités, sans jamais les réduire à la théorie et à l'idéologie, sans jamais sommer à l'action immédiate, implantant néanmoins dans les consciences, avec l'accent du nécessaire que confère toujours la beauté, le sentiment national comme élément fondateur de l'identité. La dimension apparemment ludique de leur engagement atténuait l'inquiétude de ce peuple aliéné devant lui-même, au moment où il revendiquait enfin, mais encore si timidement, le droit d'être lui-même.

À l'instar des intellectuels et des militants politiques qui fondent leur pensée et leur action sur l'exigence d'une rupture radicale avec l'ordre existant, colonialiste et impérialiste, les artistes définissent leur esthétique par une éthique de la rupture avec les formes passéistes ou empruntées à l'étranger, ouvrant notre culture à la possibilité de devenir civilisation plutôt que folklore.

Loin de seulement magnifier la liberté en soi, nos artistes expriment les conditions et les figures particulières de la nôtre. Ils atteignent ainsi à l'universel et, du même souffle, ils annoncent à notre peuple qu'il n'est pas vrai qu'il soit né pour un petit pain, pour être porteur d'eau jusqu'à la fin de l'histoire.

Néanmoins, la reprise en main par un peuple de son histoire n'est pas seulement affaire de prise de conscience, mais bel et bien d'organisation politique, puisqu'il s'agit en effet de mener une lutte et que les enjeux du combat sont colossaux. L'indépendance du Québec, conçue comme projet de libération nationale, s'attaque de plein front aux intérêts capitalistes, politiques autant qu'économiques, de la bourgeoisie canadienne, soutenue inconditionnellement par l'État canadien qui le démontrera brutalement en octobre 1970.

Ainsi naissent plusieurs groupes de pression, des mouvements populaires et des partis, dont les plus importants seront le Rassemblement pour l'indépendance nationale (1960-1968), le Front de libération du Québec (1963-1972) et le Parti québécois.

Ces trois formations, chacune à leur manière, est-il besoin de le spécifier, mieux que les nombreux autres petits mouvements et partis alors actifs, tels l'Alliance laurentienne, le Parti républicain du Québec, le Parti socialiste du Québec, le Mouvement de libération populaire, le Comité indépendance-socialisme, etc., exprimeront et canaliseront la volonté de changement manifestée partout au Québec, où les sociétés patriotiques et les organisations syndicales se politiseront de plus en plus, où l'agitation sociale ne cessera de s'amplifier, au moins jusqu'en 1973. Parmi les événements majeurs, il faut souligner les premières assises nationales des États généraux du Canada français, tenues en 1967, année du centenaire de la Confédération, anniversaire qui donna lieu à de nombreuses et grandes manifestations de contestation ; il faut évidemment mentionner la visite du général de Gaulle et son « Vive le Québec libre ! » lancé du haut de l'hôtel de ville de Montréal, et l'émeute survenue à l'occasion de la fête nationale, en 1968, provoquée par la présence arrogante de Pierre Elliott Trudeau sur l'estrade d'honneur, à la veille des élections générales ; sans oublier les innombrables manifestations organisées pour la défense de la langue française, dont celle de 1969 pour un McGill français, qui a mobilisé des dizaines de milliers de personnes ; sans oublier, non plus, les innombrables débrayages, tant dans l'entreprise privée que dans la fonction publique, en particulier ceux qui ont eu lieu, en 1969, au cours du conflit à *La Presse*, et en 1972, après l'emprisonnement des chefs de la Confédération des syndicats nationaux, de la Fédération des travailleurs du Québec et de la Centrale d'enseignement du Québec. À cette dernière occasion, plus de 300 000 travailleurs sont descendus spontanément dans les rues de toutes les villes.

C'est avec le Rassemblement pour l'indépendance nationale que ce mouvement de contestation générale prend son envol. D'abord groupe de pression, le RIN devient parti politique en 1963, année où Simonne Monet-Chartrand rejoint ses rangs. Fort de ses 10 000 membres, en juin 1966, il présente 76 candidats aux élections générales québécoises et obtient 9 % du vote. Le RIN, cependant, ne sera jamais un parti traditionnel, exclusivement électoraliste. Au contraire, convaincu que seul un peuple devenu conscient de son aliénation peut vouloir abolir toutes les entraves qui l'empêchent de choisir librement les voies de son avenir, il demeurera, jusqu'à sa dissolution, essentiellement un mouvement d'éducation populaire, se donnant pour tâche primordiale de secouer les vieilles résignations et les vieilles craintes des Canadiens français, sans cesse soumis, depuis plus de deux siècles, à un implacable processus d'infériorisation. À cette fin, il déploiera des moyens d'action qui iront de l'organisation de cours de formation politique à celle de galas musicaux, en passant par la tenue de multiples assemblées publiques et de cuisine, par des appuis aux grévistes, par l'organisation de *sit-in* et de manifestations de rue.

Néanmoins, aux yeux de plusieurs jeunes, animés par une colère et une impatience irrépressibles, venues du tréfonds des humiliations et des spoliations subies par nos mères et pères depuis des générations, le Rassemblement pour l'indépendance nationale n'apparaît pas suffisamment révolutionnaire, ni dans son discours ni dans son action, pour vraiment venir à bout des forces colonialistes et impérialistes et mener à bien la lutte de libération nationale. Naîtra alors, en 1963, le premier Front de libération du Québec, mouvement clandestin qui se livrera à des attaques radicales et violentes contre les symboles de la Couronne britannique, du fédéralisme et du capitalisme. Plusieurs générations de felquistes se succéderont jusque dans les premières années de la décennie 1970.

Ils jouiront bien souvent d'une secrète sympathie de la population, et même ouverte, comme au moment de la lecture de leur manifeste à la radio et à la télévision, en octobre 1970. Car même si le peuple n'est pas d'emblée révolutionnaire, il est toujours profondément contre les injustices et les inégalités qui sapent la démocratie aussi bien que la violence contestataire. Il n'en reste pas moins qu'un mouvement révolutionnaire qui privilégie la violence, sans avoir les moyens de mettre en œuvre les changements qu'il recherche, ne contribue qu'à attiser la répression non seulement contre lui-même, mais contre l'ensemble des forces qui mènent autrement la même lutte, fournissant aux pouvoirs contestés le prétexte à des interventions brutales.

LA RÉPRESSION

Pour se convaincre de cette logique de l'escalade de la violence, même marginale, comme prétexte de la répression des forces progressistes et démocratiques, il suffit de se rappeler les assauts portés contre tous les mouvements contestataires par une classe politicienne irresponsable devant la crainte de perdre ses privilèges, apeurée non par l'action du Front de libération du Québec, mais, bien au-delà, par la cohérence et la cohésion de la lutte menée par l'ensemble du mouvement indépendantiste et socialiste.

Ainsi, au cours des années soixante, les corps de police municipale, provinciale et fédérale n'hésitent pas à charger les manifestants qui défilent pourtant pacifiquement et légalement dans les rues, que les manifestations soient organisées par le mouvement indépendantiste ou par les travailleurs syndiqués. Ces polices procèdent aussi à des arrestations préventives, perquisitionnent dans les locaux des mouvements populaires, volent la liste des membres du Parti québécois, arrêtent les chefs syndicaux. La Ville de Montréal va jusqu'à interdire la tenue de manifestations et, en 1970, le pouvoir central envoie l'armée canadienne occuper le Québec.

Et malgré la réaction des démocrates comme Simonne Monet-Chartrand, la répression, jointe à la dilution de l'objectif de libération nationale dans le projet de souveraineté-association du Parti québécois et de sa stratégie étapiste, jointe à la technocratisation de l'organisation syndicale et à la bureaucratisation générale des changements, est venue à bout de l'élan émancipateur jailli au début des années soixante.

Néanmoins, à l'instar de Simonne Monet-Chartrand qui, jusqu'à la fin de sa vie, a persévéré dans la poursuite de ses idéaux, le peuple québécois mènera sa lutte à terme, parce qu'elle procède des exigences spécifiques de son histoire et parce qu'elle s'inscrit à nouveau dans une prise de conscience mondiale de la nécessité de l'autodétermination de chaque peuple pour construire un monde juste, pacifique et libre.

Hélène Pelletier-Baillargeon, Claudette Boivin, Hélène Chénier et Gisèle Turcot (dir.), *Simonne Monet-Chartrand. Un héritage et des projets*, Montréal, Éditions du remue-ménage et Fides, 1993, p. 107-118.

Un bonheur de lecture : Lionel Groulx

Conférencière invitée au troisième déjeuner-causerie de l'Action indépendantiste du Québec qui, le 22 novembre 1993, réunissait plus de 130 personnes dont Mme Louise Harel, Andrée Ferretti rendait ce vibrant hommage à l'œuvre de notre historien national.

J'ai lu ou relu, en quelques jours, plus d'un millier de pages de l'œuvre de notre illustre historien. J'ai alors redécouvert avec plaisir un intellectuel d'une immense envergure, tant par l'ampleur de son érudition que par la nouveauté de sa conception de l'histoire et de ses méthodes de reconstruction du passé, comparable à celle des meilleurs penseurs et chercheurs en sciences humaines de la première moitié du xxe siècle. J'ai de plus savouré la beauté d'une langue et d'un style qui font de l'œuvre savante de Lionel Groulx une véritable œuvre littéraire.

Or ce bonheur de lecture ne pouvait, chez moi qui aime partager mes enthousiasmes, que s'accompagner du désir de faire lire cet auteur considérable, particulièrement aujourd'hui où autant ses épigones que ses détracteurs le desservent, soit en le magnifiant dans des présentations et des analyses glorificatrices et désuètes, soit en le réduisant aux formules infamantes de leur vision d'essayistes ignares et malveillants.

Il importe en effet, pour le lire aujourd'hui avec intelligence, de ne pas considérer Lionel Groulx comme un contemporain, aussi actuelle que demeure son œuvre sous plusieurs aspects, mais comme une figure historique marquée par son temps. Sa vision du monde et les nôtres ont été nourries à des sources trop différentes pour ne pas être forgées par des valeurs souvent divergentes.

Nous ne devons jamais perdre de vue que Lionel Groulx est né en 1878, qu'à la fin de la Grande Guerre il était âgé de 36 ans, qu'il était donc un homme déjà accompli, d'autant plus qu'il avait été remarquablement précoce. Or s'il est vrai, comme le soutient la majorité des historiens, que le XXᵉ siècle ne commence vraiment qu'à la fin de cette guerre, on doit admettre que Lionel Groulx, environ jusqu'en 1920, est un homme du XIXᵉ siècle, entièrement imprégné par l'idéologie ultramontaine.

Il est bien connu qu'au Canada français l'Église ultramontaine impose alors, et depuis longtemps déjà, sa foi, ses dogmes et ses idées. Reçus presque universellement par la population canadienne-française de tous les milieux sociaux, ses enseignements et ses valeurs sont comme indissociablement liés à toute l'activité intellectuelle, activité qui ne se borne pas à composer avec cette donne, mais qui s'y conforme. Les liens de la pensée et de ce catholicisme ne sont, en effet, pas seulement ceux de la croyance, mais ceux de la culture et de l'institution, avec ce que cela comporte de monolithisme dans les domaines de l'éducation et du savoir. Or, faut-il le rappeler, Lionel Groulx a été, dès 1891, élève, puis étudiant dans un séminaire, formé en vue de la prêtrise.

Comment dès lors ne pas s'étonner que le jeune abbé ait réussi assez vite, sitôt l'avènement de la nouvelle ère, à se dégager de l'emprise d'une formation si rigoureusement dominante, à s'en dégager substantiellement sans pour autant la renier. Au contraire, tout au long de sa vie, cet homme a trouvé dans la fidélité aux principes fondamentaux de son éducation familiale, sociale et religieuse, le point d'appui qui lui a permis d'élaborer une interprétation renouvelée de notre histoire. Cette attitude est une autre marque de son intelligence, puisque aussi bien il n'est pas d'exercice créateur de la pensée qui ne soit nourri d'acquis culturels spécifiques, suffisamment reconnus pour être dépassés sans être effacés. Il n'y a, par exemple, de logique nodale que tributaire de la logique aristotélicienne.

Tout un chacun, néanmoins, ne devient pas le héros d'une aventure intellectuelle insigne. Comment Lionel Groulx y est-il arrivé? Pour ma part, je suis convaincue que c'est l'amour qu'il a éprouvé pour son peuple qui en est la véritable armature. Il m'apparaît évident que son œuvre, créatrice d'explications, de débats et d'engagements non encore épuisés, où est constamment présente une intelligence sensible de notre histoire, n'est que l'autre face de cet amour lumineux pour son « petit peuple ». J'admire que pendant les 70 ans de sa vie active, il n'ait poursuivi d'autre but, à travers ses multiples recherches, écrits, cours, conférences et toutes autres actions, que celui de développer chez les Canadiens français une conscience nationale suffisamment orientée pour élaborer des projets cohérents, susceptibles de servir leur épanouissement. Et aujourd'hui, devant la représentation positive que le peuple québécois se fait de lui-même, je m'émerveille de la puissante réussite de ce travail, en me rappelant qu'il a été accompli au sein d'un peuple qui était alors plus profondément aliéné que jamais, après avoir subi, depuis 1840, non seulement sans révolte, mais dans la plus débilitante résignation, la domination politique et économique du Canada anglais, avec ses effets corrosifs sur tous les aspects de son développement, particulièrement sur l'affirmation de son identité nationale.

Aussi, même si je ne peux voir l'œuvre groulxienne, de quelque point de vue où je me place, comme engagée sur la voie de l'indépendance du Québec, je ne la considère pas moins comme le matériau d'origine du mouvement indépendantiste contemporain, comme la charpente intellectuelle de la réflexion qui lui a donné naissance. Et c'est finalement comme militante indépendantiste qu'elle m'a touchée.

ÊTRE HUMAIN, C'EST TENIR À SA DIFFÉRENCE

La différence et l'opposition entre les cultures, soutient Claude Lévi-Strauss dans *Le regard éloigné* (1983), loin de manifester quelque relent de racisme que ce soit, exprime au contraire les conditions essentielles et constantes de l'autodéveloppement de l'humanité. « Que chaque peuple ait tenu à ses racines et ait pris conscience de leur prix a été la manière spécifique à chacun d'assurer son existence et la survie de l'humanité. »

Lionel Groulx n'a pas attendu Lévi-Strauss pour comprendre que c'est en persévérant dans son propre être que chaque peuple, comme chaque individu, assume pleinement son humanité et participe ainsi à l'humanisation de tous ; il n'a eu aucun besoin de s'appuyer sur une théorie savante pour être convaincu que la conscience de son identité est le fondement de toute création et que la création est la voie royale qui mène aux autres.

Ainsi, écrivait-il dans *Si Dollard revenait* (1919), défendre son identité nationale…

> ne veut pas dire, comme d'aucuns essaient de le faire croire, que l'on veuille cloîtrer son esprit ni s'interdire la vérité et la beauté universelles ; mais cela veut dire, par exemple, que l'on entend mettre sur toutes choses le reflet de son âme à soi, que l'œuvre originale vaut mieux que l'œuvre pastichée ; et qu'agir ainsi n'est point servir fanatiquement la vérité et la beauté de son pays, mais la vérité et la beauté dans son pays.

Il poussait encore plus loin sa démonstration du lien indissociable entre identité et créativité, dans *Notre mission française* (1941) :

> Au surplus, qu'artistes ou intellectuels ne s'effraient point ; je ne leur demande pas de faire chrétien ou catholique. Je ne leur demande pas davantage de faire canadien-français ; Canadiens français, je leur demande simplement de l'être. Qu'ils soient hommes en plénitude ; et que pour l'être, ils soient racés et racinés [...] et je ne m'inquiète plus de leur œuvre. Qu'ils n'imaginent pas, non plus, je ne sais quelle antinomie entre l'originalité et

l'universalité, entre la culture nationale et la culture humaine. L'originalité jaillit, avons-nous dit, lorsque l'homme arrive à révéler son fond d'homme. Sans l'ombre d'un paradoxe, l'on peut soutenir que plus une littérature, plus un art sont originaux, plus ils sont humains, et par cela même, plus ils portent en eux de l'universel.

Cette conviction de la nécessaire affirmation de soi, pour soi-même et non contre les autres, est la ligne directrice majeure de l'entreprise groulxienne, qui tient le peuple canadien-français comme premier responsable de son destin, de sa servitude comme de son éventuel épanouissement. Elle est si inhérente à toute l'œuvre qu'il m'apparaît restrictif de n'en donner qu'une preuve particulière. Je n'en citerai pas moins quelques lignes tirées de *L'économique et le national*, conférence prononcée deux fois, en février 1936, devant les publics respectifs de la Chambre cadette de commerce de Montréal et du Jeune Barreau de Québec. Groulx s'applique alors à démontrer l'indissociabilité des liens entre la maîtrise de l'économie et le développement national. Dans un passage, il impute l'infériorité économique du peuple canadien-français et la dépendance qu'elle entraîne à sa «désorientation essentielle»: «Quand on s'est perdu pour avoir tourné le dos au principe de sa vie, on ne se sauve que par un retour à son principe vital. [...] L'on n'agit d'une certaine façon que si l'on est de cette façon.»

Ailleurs, après avoir tracé les grandes lignes d'une politique économique qui favoriserait notre développement, il prend la peine de préciser:

> Une politique canadienne-française n'est pas nécessairement, que je sache, une politique d'agression ni d'injustice à l'égard de qui que ce soit. Nous ne songeons à dépouiller personne; seulement nous n'entendons pas, non plus, être dépouillés. Nous n'empêchons personne de vivre, mais nous voulons vivre nous aussi. Et j'estime que ce n'est pas prendre la place des autres que de prendre la nôtre. Je ne suis, ai-je besoin de le dire, ni anti-Anglais, ni anti-Juif. Mais je constate que les Anglais sont pro-Anglais et que les Juifs sont pro-Juifs. Et dans la mesure où pareille attitude ne blesse ni la charité, ni la justice, je me garderai bien de leur en

faire reproche. Mais alors je me demande pourquoi, et dans la même mesure, les Canadiens français seraient tout, excepté pro-Canadiens français ?

Il n'en demeure pas moins vrai que cette propension de Groulx à parfois louer exagérément son peuple, au nom de valeurs dont certaines sont devenues complètement désuètes, a par moments gêné ma lecture. J'attribue cette conduite de Groulx à son espoir de conjurer par le discours une médiocrité réelle qui l'inquiétait jusqu'à l'angoisse, qui le heurtait douloureusement. Historien éminemment cultivé, il savait que l'idéal fascine et entraîne, qu'il domine les consciences et impose ses exigences. D'où son insistance à proposer à l'admiration des Canadiens français, et à leur imitation, un idéal humain fondé sur la valorisation des luttes courageuses des ancêtres pour survivre, pour conserver leur langue et leur foi, propriétés culturelles qui les rattachaient à deux très hautes civilisations, celles de la France et de la Rome catholique. Car Groulx savait parfaitement que seules les cultures en situation d'échange et d'interaction ont su s'épanouir ; qu'au contraire les cultures enfermées dans un espace politique clos n'ont pu survivre. C'est ainsi qu'il considérait le catholicisme comme un véhicule important de notre ouverture sur le monde.

Et c'est précisément ce que ne peuvent supporter les ennemis actuels du peuple québécois : que Groulx nous ait évité de devenir un peuple aphasique, en nous inculquant la conscience de notre identité nationale et la volonté de l'affirmer.

L'HISTOIRE : UNE CRÉATION CONTINUE

Une nation existe par les représentations motrices et vitales qu'elle puise dans son passé, non pour s'y fixer, mais pour se propulser vers l'avenir. Une nation ne peut s'affirmer qu'appuyée sur ses lignes de force, car la nation est une communauté qui pousse sur des racines par le truchement de l'histoire dont la mission est de remodeler constamment les héritages d'où elle part. « Rien de plus faux que l'histoire définitive, ai-je pu constater une nouvelle fois », confie Groulx dans le quatrième tome de ses *Mémoires*, en parlant du travail ardu consacré à la réédition de son ouvrage *La découverte du Canada - Jacques Cartier*, «pour remplumer, rhabiller à la mode ce vieux rossignol. Mais il me permit de constater combien l'histoire avait marché, depuis la première édition de 1934.»

Pour Groulx, l'œuvre historique est en effet création. Elle l'est, dès le départ, avec l'invention des hypothèses et la problématisation de la recherche, avec la transformation des matériaux en documents. Mais, davantage encore, elle l'est dans l'interprétation non seulement inévitable, mais nécessaire de toutes les données.

Dans sa préface à *Lendemains de conquête* (1920), Groulx montre bien que, pour lui, l'histoire n'a pas pour but de raconter le passé, mais de le reconstruire :

> Elle ne saurait demeurer le spectacle inférieur d'une exposition archéologique, le musée des grands noms et des dates célèbres, simples ossements de l'histoire. La tâche de l'historien, c'est d'assembler ces débris, c'est de les ajuster pour leur infuser leur vie ancienne, c'est de ressusciter du passé ce qui en demeure l'élément le plus élevé, celui par lequel l'histoire vaut d'être écrite, je veux dire : la psychologie des époques, l'âme des générations successives, toute la poussière humaine qui demande à revivre.

C'est dans ce processus de création que l'histoire des historiens reproduit l'histoire des sociétés qui est création continue. Ainsi, chaque peuple, chaque nation est non seulement marqué par son histoire, mais par son historiographie. Ensemble, elles forgent l'identité culturelle d'un peuple, donnent son sens à la vie d'une nation et sont l'oxygène de sa durée. D'où l'extrême importance de l'enseignement de l'histoire, d'où l'extrême importance de la rendre attrayante. L'écrire dans une langue belle mais sobre, afin de ne pas la perdre dans un lyrisme inapproprié à l'ouvrage scientifique. Littéraire dans sa forme, rigoureuse dans ses méthodes, l'œuvre historique est à cet égard, aussi, œuvre de création.

Indubitablement œuvre de création, la véritable œuvre historique est de la même manière œuvre d'engagement. Aussi impartial que l'exige l'aspect scientifique de son travail, l'historien ne saurait toutefois être neutre. Il pose nécessairement sur le passé un regard aiguisé par les problèmes de sa propre époque, d'une part, et par sa propre intuition du sens de ce passé, d'autre part. Ainsi, pour Groulx, l'histoire des Canadiens français est celle d'une lutte permanente entre les forces de vie et les forces de mort. D'où le projet fondamental de toute son entreprise : insuffler à son peuple le désir et la force de combattre pour son existence nationale puisque aussi bien la vie est pour Groulx acte permanent de volonté.

UNE ŒUVRE EXPLOSIVE

En privilégiant l'explication plutôt que la narration, en refusant de morceler la réalité pour la faire voir dans sa totalité, Lionel Groulx a écrit une œuvre qui garde toute sa charge explosive. Aujourd'hui encore, on ne peut la lire sans éprouver une vive émotion. D'où peut-être les procès qu'on ne cesse de lui intenter ici, l'admiration qu'on ne cesse de lui vouer là.

Plus que toute autre, l'œuvre de Groulx est un élément vital de notre culture nationaliste. Non seulement parce que nous l'avons lue, non seulement parce que nous pouvons en citer des extraits, mais parce qu'il nous vient d'elle des idées et des concepts avec lesquels nous continuons à penser notre réalité, comme nous le faisons aujourd'hui. Sa manière de la penser fait désormais partie intégrante non seulement de nos discours, non seulement de nos projets, mais de nos références inconscientes, quand il s'agit de penser le sens de l'histoire du Québec et de vouloir agir sur son destin. C'est ainsi qu'à notre propre insu, nous ne cessons de le répéter depuis plus de cinquante ans. Il suffit de lire les textes de quelques-unes des grandes conférences qu'il a prononcées entre 1928 et 1945 pour constater l'influence profonde qu'il exerce toujours sur nos politiciens, nos intellectuels, nos écrivains, nos artistes. Personne parmi nous qui ne reprenne à sa manière l'analyse groulxienne du mal québécois, de ses causes proches et lointaines, des moyens d'y remédier.

« Maîtres chez nous », par exemple, a été pendant longtemps le concept articulateur du programme de redressement national prôné par Groulx. « Égalité ou indépendance » est aussi une problématique qu'il a soulevée, sans oublier l'idée d'envoyer à Ottawa un bloc de députés exclusivement dévoués aux intérêts du Québec. Jusqu'à René Lévesque qui, avec le concept de souveraineté-association, n'a fait que reprendre la proposition de Groulx, formulée à maintes reprises, de faire de l'État du Québec un État national et français qui n'en partagerait pas moins sa souveraineté avec l'État canadien dans plusieurs domaines, dont l'économie et les relations extérieures. On peut aussi souligner qu'il a démontré, avant les rédacteurs de *Parti pris*, l'indissociabilité des liens entre l'économique, le social, le politique et le culturel dans l'appropriation de notre destin national, tout comme il a dénoncé, avant Pierre Vallières et tout aussi farouchement que lui, les méfaits de l'impérialisme américain non seulement pour le Québec, mais pour le monde. Et n'a-t-il pas célébré, dès 1915, l'universalité de «l'*homo quebecensis*» si chère à Gaston Miron?

Répéter en croyant inventer, n'est-ce pas la manifestation la plus éloquente de la culture?

UNE ŒUVRE À COMPLÉTER

Et pourtant! Pourtant, cet homme qui a eu comme passion le plein épanouissement de son peuple, cet homme qui a vécu «en angoisse que chaque jour ce peuple jouait son destin», est demeuré impuissant à assumer dans toutes ses propriétés la dimension politique de son entreprise qui est l'indépendance nationale.

Il n'a en effet soutenu cette option qu'en 1922. Et encore parce qu'il a cru que la Confédération serait bientôt emportée par la dégringolade sans cesse accélérée de l'Empire britannique. Compte tenu de cette éventualité, il dirige alors une vaste enquête sur les conditions de réalisation et les conséquences immédiates de l'indépendance, dans le but de préparer l'avenir.

Mise à part cette exception, Lionel Groulx a été autonomiste. Il a défendu l'union confédérative voulue, selon lui, par les Canadiens français qui y sont entrés de plein gré. Basée sur l'égalité des deux nations fondatrices, sur la reconnaissance de leurs différences et la volonté exprimée de les respecter, la Confédération était à ses yeux une victoire remportée de haute lutte par le peuple canadien-français. Bien qu'il ait chaque jour noté la faillite de l'institution, il n'a jamais cessé de croire à la dimension constructive de l'« esprit » qui avait présidé, selon lui, à sa création, comme il n'a jamais cessé d'exiger le retour à cet « esprit ». Car, s'il était respecté, estimait Groulx, nous pourrions vivre avantageusement dans une véritable confédération, c'est-à-dire dans une union harmonieuse et efficace de provinces aussi autonomes que possible, fières de leur originalité propre et, également, de leur patrie commune.

Ainsi, il ne lui paraît pas contradictoire de servir la Confédération puisque loin d'exiger que les Canadiens français se fondent dans la majorité anglophone, elle leur permet d'affirmer leur spécificité. Fort de cette conviction, Groulx s'est assigné, pendant plus de cinquante ans, la tâche d'éveiller et de développer la conscience nationale de ses compatriotes qu'il jugeait chaque jour plus déficiente depuis leur victoire de 1867, afin qu'ils exigent de leur gouvernement provincial qu'il exerce pleinement tous les pouvoirs de sa juridiction et qu'il lutte sans relâche contre le moindre empiètement du gouvernement fédéral.

C'est ce nationalisme provincialiste qui tient encore aujourd'hui le Québec enfermé dans la dialectique majorité-minorité, qui l'« oblige à un perpétuel recommencement des mêmes *luttes, nées des mêmes revendications*, en vue des mêmes objectifs », comme Miron et moi-même le démontrons dans l'introduction aux *Grands textes indépendantistes*.

On pourrait ainsi soutenir que Lionel Groulx a objectivement œuvré contre l'indépendance du Québec. Je l'ai déjà pensé. Je ne le crois plus. Le projet indépendantiste, comme tout projet de libération, est un processus historique de longue haleine et il suppose, pour se réaliser, de multiples points d'appui. Or, comme la mémoire est le levain de l'avenir, Lionel Groulx, en nous faisant cadeau de notre histoire, a construit les fondations sur lesquelles nous bâtissons, depuis, notre pays.

Et je lui en suis infiniment reconnaissante.

L'Action nationale, vol. 84, n° 6, juin 1994, p. 840-850.

Lettre à un pessimiste de luxe

À l'occasion du second référendum sur la souveraineté, tenu en 1995,
trente écrivains publient *Trente lettres pour un oui*. Andrée Ferretti
adresse la sienne au dramaturge et comédien René-Daniel Dubois
(qu'elle a connu à l'École nationale de théâtre), dans laquelle, après
lui avoir reproché les raisons qu'il invoque pour refuser de s'engager
dans la lutte pour le OUI, elle l'invite avec force arguments
à réviser sa position et à mettre l'épaule à la roue.

T rès cher René-Daniel Dubois,

Un mois plus tard, ton refus d'écrire une des lettres qui composent ce livre consacré à l'élargissement du vote souverainiste, non
par revirement de conviction, mais, m'as-tu dit, par profond désen-
chantement du Parti québécois et du gouvernement qui en est issu,
m'indigne encore.

Se pourrait-il qu'à l'instar des trop nombreux scribes qui font
office d'esclaves-penseurs dans les officines du *statu quo* et dans les
chambres noires où se fabriquent les négatifs de notre défaite sou-
haitée, tu sois devenu un pète-sec de l'intelligence, un arc-bouté sur
le confort de l'insignifiance, un renieur à gages de notre histoire et
de sa logique, un avare d'espoir, d'enthousiasme, d'élans, un craintif
de ce qui advient, ou, aussi inavouable que rentable et sans besoin
d'émulation, un lèche-cul de Roch Carrier[1] ?

Ne monte pas sur tes grands chevaux, je t'assure que je n'en
crois rien et que j'arrête ici mon imitation de ton style caustique.

Je veux, au contraire, continuer à penser qu'un écrivain de ton
envergure, créateur puissant, intellectuel ardemment engagé et, de
surcroît, indépendantiste déclaré depuis belle lurette, qui aime à
décaper notre société de ses préjugés, de ses phobies, de ses tergiversations, est un homme libre ; un homme capable par expérience
de liberté, de se prendre lui-même comme limite, c'est-à-dire de
n'accepter d'autres limites que lui-même ; un homme qui ne saurait

donc se décharger sur le dos d'un bouc émissaire de sa part de responsabilité dans l'évolution du destin de son peuple.

La liberté en acte n'a pas besoin de support, de renfort, de police d'assurance ; elle ne se soutient que d'elle-même et ne supporte qu'elle. Elle est tautologique, *causa sui*, se retrouvant toujours une dans ses multiples engagements. Elle échappe à tout ce qui veut la cerner. Elle est de l'ordre de l'irruption en soi.

C'est pourquoi, comme nous l'enseignent la philosophie et l'histoire, on ne peut devenir libre que si on est déjà libre, et ce n'est que si on est déjà libre qu'on peut se battre pour la liberté.

D'où l'entière responsabilité de tous ceux et celles qui ont déjà opté pour l'indépendance comme possibilité de liberté et de dignité pour le peuple québécois, d'œuvrer sans relâche et sans condition pour son avènement, car la liberté est contagieuse et empêche de proche en proche l'acceptation de toute forme d'assujettissement.

Ainsi, cher René-Daniel Dubois, comme tu le sais bien au fond, la nécessaire accession du Québec à l'indépendance ne se déduit pas d'un quelconque ensemble de circonstances référables à des critères de bon ou de mauvais gouvernement, pas plus qu'elle ne saurait résulter des seules stratégies partisanes. Elle repose essentiellement sur notre volonté commune d'émancipation et de l'implication de chacun de nous comme source d'inspiration décisive. Elle exige de toi, de moi, et de nous tous qui la désirons, que nous la portions à bout de bras, envers et contre les déceptions et même les révoltes que nous éprouvons parfois devant les voies tortueuses empruntées par le Parti québécois pour y arriver. On ne peut, tu en conviendras, accuser le Parti québécois de mal mener le combat et, dans le même souffle, l'instituer seul maître d'œuvre.

Par ailleurs, permets-moi de trouver étrange ton renoncement à la liberté, sous prétexte d'un plus grand désir de liberté, comme si tu ignorais que la liberté, c'est la lutte permanente pour la liberté. De même, ta vision d'un Québec allant de mal en pis, sous la gouverne du Parti québécois, me laisse craindre que tu ne sois atteint d'une grave crise d'amnésie historique.

Néanmoins, je ne te chicanerai pas plus longtemps, cher pessimiste de luxe, sur les raisons que tu as invoquées pour justifier ton désengagement. Je tenterai plutôt de te ramener à de meilleurs sentiments, persuadée de l'importance de ton intervention en ce moment crucial de notre histoire où notre peuple est invité à prendre une décision majeure pour notre avenir collectif.

En tant que créateur, tu sais mieux que personne, en effet, la puissance du désir dans l'aboutissement de l'œuvre. Il en va de même du désir de l'indépendance comme germe fécond d'une transformation des luttes séculaires de notre peuple pour sa seule survie en luttes pour son plein épanouissement dans un pays à son gré, où il pourra enfin s'adonner à des tâches créatrices d'une société irradiant sa pleine mesure. Il me semble que, dans ta bouche, l'affirmation de ce désir aurait un accent de vérité irrésistible.

Parce que c'est la vérité.

La lutte pour l'indépendance est non seulement l'occasion de proposer des solutions, mais elle donne d'elle-même les solutions aux questions qu'elle pose, prêtant dès maintenant un tout autre relief au politique, à l'économique, au social, à l'esthétique, au scientifique, en un mot, au culturel, puisqu'elle nous oblige à concevoir une refonte globale de notre société en assumant pleinement notre identité, unique voie d'accès aux autres identités. Elle a ainsi le mérite inestimable de montrer que l'accession à l'universel s'incarne dans le spécifique et, *a contrario*, que la privation de l'universel, c'est-à-dire la dépossession de soi, frappe de nullité et d'insignifiance.

Comme tu le vois, René-Daniel, bien au-delà des discours, projets et actions des partis souverainistes et fédéralistes, le prochain référendum soulève un seul problème fondamental, à savoir quel risque le peuple québécois choisira de prendre : la mort à soi, par reconduction lasse de son aliénation, pour survivre encore plus ou moins longtemps (l'agonie d'un peuple n'est pas affaire de jours ; la nôtre dure depuis 1760), en continuant d'occuper sa place dans la cohorte des « agis » et des dominés, ou la naissance à soi par la rupture des supports extérieurs, pour contribuer, à partir de ses propres critères et valeurs, à la tâche nouvelle, non seulement dans notre histoire mais dans l'histoire, et commandée par notre temps, de construire un monde sans frontières et pourtant composé d'une multitude de peuples autonomes et libres.

Je t'invite donc ardemment à pousser à la roue pour que nous choisissions la vie, car, comme l'a écrit Victor-Lévy Beaulieu : « On ne mérite pas l'indépendance ; pour la conquérir, il y a trois étapes : premièrement on la veut ; deuxièmement on la fait ; troisièmement on l'assume. »

Trente lettres pour un oui, Montréal, Éditions internationales Alain Stanké, 1995, p. 106-110.
1. De 1994 à 1997, Roch Carrier a été directeur du Conseil des arts du Canada.

Une poignée de main n'est pas un *shake-hand*

Gérald Godin est décédé le 12 octobre 1994 après une longue lutte contre le cancer. Andrée Ferretti lui rend hommage. Ce texte a d'abord fait l'objet d'une lecture publique, au cours de la soirée organisée par la Société des écrivains de la Mauricie, le 28 avril 1995, à Trois-Rivières.

Ni son état de poète, ni son métier de journaliste, ni son rôle social d'homme politique n'ont jamais recouvert le tout de la personnalité de Gérald Godin. Je l'ai, par exemple, également connu comme un administrateur rigoureux à *Québec-Presse* et, quasiment, comme un homme d'affaires âpre, alors qu'il négociait avec L'Agence du livre français les conditions de distribution de la revue *Parti pris*.

Alors, je me sentirais mal venue de le délimiter, de le limiter, en témoignant de lui à travers une expérience particulière ou une autre.

Je vais tenter au contraire de vous dire ce que je retiens globalement de l'homme Godin.

Outre sa beauté ravissante — et qui m'a ravie —, le trait de sa personnalité qui, dès notre première rencontre, un soir du printemps 1965, au moment d'une réunion du comité de rédaction de la revue *Parti pris*, m'a le plus vivement touchée et qui, par la suite, n'a jamais cessé de m'émouvoir, c'est sa pudeur.

Une pudeur qui était chez lui, comme chez tous les pudiques, un mouvement de protection de soi, certes, mais bien davantage la manifestation de son profond respect pour l'altérité d'autrui.

Or, j'en suis convaincue, c'est cette pudeur qui lui a permis, en toutes circonstances, d'établir une relation authentique avec chacun de ses interlocuteurs.

C'est parce qu'il ne cherchait pas à combler la distance inévitable entre lui et les autres par une bonhomie factice, qu'il a su inspirer respect et amitié aux membres des communautés culturelles de son comté et de tout le Québec. Sans doute parce que ceux-ci percevaient cette attitude comme l'expression de sa pleine acceptation de leur différence, en même temps que maintien affirmé de la sienne propre.

Quand Gérald allait vers quelqu'un et lui tendait la main, c'était pour une véritable poignée de main, initiatrice d'une vraie rencontre, et non pour un *shake-hand* qui n'a d'autre but que de rendre la relation fonctionnelle. Or cette prétention à la transparence anéantit la distance nécessaire au respect, dissolvant les relations sociales en un magma informe où triomphe finalement la violence.

Au contraire, avec Gérald nous avions droit à l'humour et à l'ironie qui isolent les consciences, les inquiètent et, dans cette bénéfique inquiétude, les font rebondir sur elles-mêmes, dans leur inadéquation, et non sur le sol stérile du même.

Ainsi, en masquant sa sensibilité derrière la pudeur de l'humour et de l'ironie, Gérald Godin personnalisait ses engagements, à chaque instant, dans toutes ses actions. Je ne crains donc pas d'affirmer que, chez lui, la pudeur, c'est-à-dire cette conscience angoissée de n'être jamais à la hauteur de ses idéaux, a été à la source de son écriture et de son action libératrices.

Tel est, en effet pour moi, le puissant rayonnement de la pudeur.

J'aimerais donc, en évoquant le souvenir de Gérald, vous amener avec moi dans la pensée que rien n'est aussi beau dans le monde qu'un homme pudique.

L'Action nationale, vol. 85, n° 9, novembre 1995, p. 197-198.

De la rue au *bunker*

Après avoir failli remporter la victoire au référendum de 1995,
le gouvernement du Parti québécois (dirigé par Lucien Bouchard
depuis janvier 1996) met l'accent sur l'assainissement des finances
publiques, reportant ainsi à plus tard la tenue d'un prochain référendum.
Andrée Ferretti s'oppose à cet état de fait. Pendant l'été 1996, elle rédige
un virulent pamphlet contre les inclinaisons du gouvernement de
Lucien Bouchard et en appelle de toutes ses forces à la reprise
de la lutte pour l'indépendance du Québec.

J'ai la chance d'avoir vécu la fin de ma vingtaine à une époque qui avait de la tenue. C'était le début des années soixante. Nous, les *French pea soup*, nous, les *frogs*, nous osions pour la première fois depuis plus d'un siècle franchir la rue Saint-Laurent, cette ligne de démarcation, en plein cœur de Montréal, entre les Français et les Anglais, les pauvres et les riches, les malappris et les distingués, le *cheap labor* et le grand patronat, entre les dominés et les maîtres. Nous avancions main dans la main, le cœur encore un peu serré mais la tête haute, avec un sentiment d'enivrante délivrance, comme si chacun sentait, comprenait, savait que cette simple déambulation dans les rues du bastion ennemi, sous l'énorme poussée d'une initiative enfin reconquise, faisait vaciller l'ordre immobile, l'ordre établi.

La fondation du Rassemblement pour l'indépendance nationale (RIN), en septembre 1960, avait donné le coup d'envoi de cette reconquête de Montréal, prélude à la reconquête du Québec. Son discours décolonisateur et son action émancipatrice furent les pierres d'assise de la libération de l'état d'infériorité et du sentiment d'impuissance dans lesquels s'enlisait le peuple canadien-français depuis les tragiques défaites de 1837 et 1838 et la cruelle répression qui s'ensuivit.

Sur tous les fronts et dans tous ses discours, le RIN s'employait avec rigueur à démontrer, en les démontant, les rouages de notre dépendance politique, de notre domination économique, de notre exploitation sociale et de notre oppression culturelle, et leurs effets aliénants. Il s'employait à établir de manière irréfutable la relation fondamentale entre la possibilité d'une pleine affirmation de l'identité nationale et la nécessité d'une pleine maîtrise du pouvoir d'État. Notre lutte, insistait-il, est une lutte pour la conquête d'un État québécois pleinement souverain. Le discours riniste rompait ainsi avec le traditionnel discours de survivance et faisait naître dans le peuple une conscience nationale plutôt que nationaliste.

Sous l'impulsion du RIN, le mouvement indépendantiste prit rapidement de l'ampleur. Il se déploya dans plusieurs autres formations : mouvements et partis. Il donna lieu à la publication de multiples manifestes, journaux et revues, tous plus radicaux les uns que les autres dans leurs dénonciations du système canadien de domination, et des institutions et entreprises québécoises qui y collaboraient ; il suscita la tenue d'innombrables colloques, assemblées publiques et réunions de cuisine, pour que la parole advienne à ce peuple obligé de parler une langue étrangère ou à se taire ; il organisa des *sit-in*, des manifestations de rue, des grèves où se mêlaient inextricablement revendications nationales et revendications sociales ; il se lança même dans certaines opérations illégales, plus ou moins violentes, assiégeant, pour la première fois depuis la Conquête, la garnison anglo-québécoise du colonialisme et de l'impérialisme du Canada anglo-saxon. Il se répandit dans les collèges et les universités, dans les usines et les bureaux, chez les cultivateurs, les bûcherons, les pêcheurs, s'implantant partout au Québec, s'extériorisant même dans des cellules formées à New York et à Paris. Si bien qu'aux élections du 5 juin 1966, moins de six ans après sa naissance, représenté par deux partis, l'un de gauche, le RIN, l'autre plus conservateur, le RN (Ralliement national), le mouvement recueillait déjà 12 % du vote francophone, bien qu'il n'ait présenté des candidats que dans 76 des 108 circonscriptions alors existantes, envoyant du même coup les libéraux des Jean Lesage, Eric Kierans, Paul Gérin-Lajoie et René Lévesque dans l'opposition.

Sous l'impulsion du RIN, le mouvement indépendantiste, en effet, était devenu la principale force politique du Québec. Pas un parti, tant canadien que québécois, qui n'était contraint de tenir compte de sa remise en question radicale et globale du système fédéraliste canadien dans l'élaboration de ses politiques et de ses stratégies.

Tandis que, du côté fédéral, on organisait rapidement la contre-offensive, en l'appuyant sur la stratégie de la carotte et du bâton jusqu'à l'arrivée au pouvoir, en 1968, de Pierre Elliott Trudeau qui la restreignit aux seuls coups de force et dénonciations du nationa-lisme québécois, du côté québécois, selon les bonnes vieilles tacti-ques du colonisé, toute la classe politique, d'un bord et de l'autre de la Chambre, profita de la popularité croissante de l'option indépen-dantiste pour faire chanter le maître et du même coup se faire du capital électoral.

C'était à qui se fendrait de la déclaration la plus fracassante sur la faillite de la Confédération et sur la nécessité de la refaire entiè-rement. « Avant 1967 », précisait en janvier 1963 Daniel Johnson père, alors chef de l'Union nationale et de l'opposition officielle, « sinon le Québec n'aura d'autre choix que l'indépendance ». « Avant 1966 », renchérissait Réal Caouette, en février 1964, affirmant que « le Parti créditiste du Québec deviendrait indépendantiste si, à cette date, Ottawa n'avait pas cédé au Québec des pouvoirs importants sur l'immigration, la monnaie, le crédit et les impôts ».

Il s'agissait bien de cela : l'indépendance, non comme valeur primordiale de liberté, non comme outil essentiel d'une véritable émancipation nationale, mais comme pis-aller, comme menace, comme instrument de chantage pour l'obtention de la part d'Ottawa du plus grand nombre possible de concessions.

Malheureusement, pour ces indécrottables provincialistes, leur déguisement en hommes libres ne trompa pas les pitres d'Ottawa, puisque, aussi bien, *on n'apprend pas à un vieux singe à faire la grimace.*

Dès 1965, tous les mandarins fédéraux avaient compris que plus ils cédaient aux revendications des Québécois, plus ceux-ci devenaient exigeants. Ils mirent aussitôt fin aux concessions d'une véritable portée accordées aux libéraux de Jean Lesage par le premier ministre libéral, Lester B. Pearson, depuis son arrivée au pouvoir, en 1963. Comprenant que les réformes amorcées par le Québec, sous la pression du mouvement indépendantiste, contribuaient au développement de celui-ci plutôt que d'en freiner la montée, non seulement refusèrent-ils toute remise de nouveaux pouvoirs au Québec, mais ils reprirent leurs empiètements sur les compétences provinciales. En plus de faire tourner court ladite « Révolution tranquille », ils vouaient ainsi clairement à une fin de non-recevoir toute exigence d'une refonte du fédéralisme « basée sur l'égalité des deux nations », comme le réclamait déjà, en ces termes précis, en novembre 1963, Pierre Laporte, alors ministre des Affaires municipales.

Ce qui, quatre ans plus tard, n'empêcha pas René Lévesque de revenir à la charge. Au congrès général de son parti, tenu à la fin du moins de novembre 1967, il présentait aux délégués une proposition de refonte constitutionnelle qui visait à faire du Québec et du Canada des États égaux et associés au sein d'une nouvelle fédération. Ultime tentative de réalisation de l'objectif majeur de la Révolution tranquille, dont le Parti libéral avait été le principal maître d'œuvre : créer un État québécois suffisamment puissant et autonome pour libérer le développement économique du Québec de l'emprise absolue de la bourgeoisie canadienne et de favoriser ainsi la naissance et l'épanouissement d'une bourgeoisie québécoise dès lors susceptible d'orienter et de maîtriser ce développement dans l'intérêt général de la société québécoise, tant sur les plans social et culturel que proprement économique.

Parfaitement inscrite dans cette logique de la Révolution tranquille, la proposition de René Lévesque n'en fut pas moins battue à plate couture et, ô ironie du sort, par l'action concertée des membres les plus influents de cette bourgeoisie québécoise montante téléguidée par les délégués, nombreux dans le parti, de la grande bourgeoisie canadienne. Celle-ci avait compris, depuis quelques années déjà, cet enjeu principal de la politique libérale québécoise déployée depuis le début des années soixante et s'y opposait depuis 1965, par l'intermédiaire des politiques fédérales, mais elle n'avait pas cru qu'il donnerait lieu à un projet aussi ambitieux. Elle mit donc tout en œuvre pour que le Parti libéral rejette sans hésitation ni ambiguïté cette proposition de réforme constitutionnelle qui, si

elle était réalisée, fissurerait le système de sa domination. L'État
canadien étant le garant de ce système, la bourgeoisie canadienne ne
pouvait donc accepter qu'il se décompose et se retrouve sur un pied
d'égalité juridique avec un autre État national, même si celui-ci,
selon le projet, ne remettait aucunement en question le fonctionnement global du capitalisme pancanadien. C'est sans difficulté que
ses délégués obtinrent la collaboration de notre gent d'affaires qui,
en 1967 comme en 1996, n'avait d'autre but que de se tailler une
place toujours plus avantageuse aux côtés de la grande bourgeoisie
canadienne et même en son sein, ses intérêts étant déjà parfaitement
intégrés au développement économique canadien, tant sur le plan
des investissements que sur celui des marchés. Quelques-uns de ses
représentants siégeaient déjà dans les conseils d'administration des
sociétés fédérales d'État et même de quelques grandes corporations
pancanadiennes.

Tout ce beau monde réussit donc, et sans coup férir — prélude
à leurs exploits du 20 mai 1980 et du 30 octobre 1995 —, à faire
rejeter la proposition de René Lévesque. Même si, d'abord, il ne
l'avait évidemment pas prévue, il s'attendait depuis quelques
semaines à cette défaite et s'y était préparé. Aussi, à peine eut-il
quitté le Parti libéral que René Lévesque fondait le Mouvement
souveraineté-association (MSA).

De manière stupéfiante, d'ailleurs. Le rejet brutal et sans
équivoque de son projet d'États souverains associés, par ceux qu'il
avait estimé être les principaux intéressés à sa réalisation et ses artisans indispensables, aurait dû le convaincre de l'irréalisme du projet
et l'amener à l'abandonner pour faire sien l'objectif de l'indépendance, seule véritable alternative, en tant qu'outil de libération
nationale du peuple, d'émancipation politique et sociale, à la situation d'infériorité politique et économique du Québec qu'il voulait
tant combattre.

On se serait donc attendu à ce qu'il joigne le mouvement indépendantiste qui l'aurait accueilli les bras grands ouverts, conscient
de la valeur inestimable d'un tel apport. Grâce à son prestige, grâce
à sa verve et à son charisme exceptionnels, grâce aussi à l'autorité
que lui conféraient dans l'opinion publique sa riche expérience du

pouvoir et la connaissance qu'elle suppose des milieux politiques et économiques canadiens et québécois, l'adhésion de René Lévesque au mouvement de lutte pour l'indépendance n'aurait pu en effet que lui donner une impulsion favorable, sinon décisive, en confirmant sa légitimité et son caractère de nécessité.

Malheureusement, c'est aujourd'hui de notoriété publique, René Lévesque n'était pas indépendantiste, mais homme inconsolable de la Révolution tranquille avortée. C'est pourquoi, plutôt que de se dévouer à l'avènement de l'indépendance, il choisit de poursuivre autrement l'œuvre inachevée, en la magnifiant dans l'objectif et sous le vocable de souveraineté-association.

Le Parti libéral lui ayant fait défaut, il décida de créer son propre parti, en l'appuyant sur les forces indépendantistes après s'être donné le temps et les moyens de les contrôler.

Le Mouvement souveraineté-association a été fondé pour répondre à ce besoin : harnacher le mouvement pour l'indépendance nationale, avant de procéder à la création d'un nouveau parti capable de prendre rapidement le pouvoir.

Il fallait à cette fin rallier à la fois les partisans de l'indépendance et les nationalistes que cette perspective apeurait et qui devaient venir grossir les rangs. La stratégie à déployer était inscrite dans le projet lui-même.

En préconisant la création d'un État québécois souverain, le MSA savait pouvoir compter sur l'appui de la majorité des indépendantistes. L'option souveraineté-association conservait à leurs yeux une valeur suffisamment émancipatrice pour qu'ils l'adoptent sans hésitation, même si elle réduisait le projet *politique* d'indépendance comme entreprise de libération nationale du peuple québécois et comme source unique de son pouvoir d'autodétermination, à un projet *technico-économique* d'association d'États égaux, dans lequel ce n'est plus le pouvoir intrinsèque à la souveraineté nationale qui instituerait le Québec partenaire égal du Canada, si le peuple le jugeait utile, mais bel et bien l'association économique avec le Canada, l'assujettisseur séculaire, qui garantirait la viabilité de la souveraineté du Québec. Sans voir l'effet aliénant de ce glissement d'une revendication de liberté qui impliquait que nous nous reconnaissions d'emblée comme des égaux, à une revendication d'égalité qui nous confirmait dans notre sentiment d'impuissance à assumer l'intégralité des pouvoirs d'autodétermination comme attribut normal de notre identité nationale, les indépendantistes ont adhéré au MSA avec d'autant plus d'enthousiasme qu'ils croyaient ferme-ment que, le temps venu, l'indépendance prévaudrait sur la souveraineté-association. Pour l'heure, cependant, comme on la leur présentait comme une option plus réaliste que l'indépendance et donc plus facilement et plus rapidement réalisable, ils jugèrent de bonne guerre de l'adopter et de la promouvoir.

En revanche, parce qu'il liait indissociablement la réalisation de la souveraineté du Québec à son association avec le Canada, le MSA rassurait un grand nombre de fédéralistes nationalistes, heureux de pouvoir encore croire à la possibilité d'un réel épanouissement du Québec en son sein, plutôt qu'en dehors, déduisant en toute logique qu'un projet de nouvelle entente avec le Canada qui liait souverai-neté et association frappait de non-sens le processus de séparation préalable qu'implique l'accession à l'indépendance.

Pourtant, cette dilution du projet indépendantiste n'apparaissait pas suffisante aux yeux des fondateurs du MSA pour calmer les appréhensions des nationalistes en mal de quadrature du cercle : des réformes qui changeraient tout sans rien changer. Il fallait aussi se démarquer le plus nettement possible des partis indépendantistes, notamment du RIN, considéré comme radical et extrémiste, non seulement par son option, mais par son programme, ses moyens d'action et ses leaders. Un parti qui osait appuyer et même organiser des manifestations risquant de tourner à l'échauffourée avec la police, l'ordre établi ne respectant la démocratie que lorsqu'il ne se sent pas menacé. Un parti qui allait jusqu'à accorder son aide aux militants qui subissaient des procès pour avoir tenté trop fort de le secouer. Un parti fondé sur la lutte et non sur l'image, même s'il avait clairement choisi la voie électorale comme seule voie possible pour le Québec d'accéder à l'indépendance. Ce choix, pour autant, n'en faisait pas un parti électoraliste, exclusivement voué à l'orga-nisation du parti en fonction d'une prise rapide du pouvoir comme objectif prioritaire, conscient qu'on ne peut l'exercer que de la manière dont on le prend. Parti éminemment démocratique, le RIN savait que le pouvoir ne peut être instrument de changement que dans la stricte mesure où le changement voulu est déjà totalement inscrit dans la démarche qui y conduit. On ne peut en effet mener un peuple à son indépendance nationale si on ne l'amène d'emblée à se servir de sa liberté.

Malheureusement pour l'avènement de l'indépendance, les libéraux du MSA non seulement ne pouvaient pas se reconnaître dans cette effervescence du RIN, mais ils éprouvaient une profonde répugnance pour tout ce qui leur paraissait utopique, imprévisible, désordonné. Aussi trouvèrent-ils le moyen de faire échouer les négociations entre le MSA et le RIN, demandées par celui-ci pour établir les conditions d'une fusion entre les deux formations en vue de la fondation d'un parti unifié.

Dans son livre *Le RIN et les débuts du mouvement indépendantiste québécois*, André d'Allemagne, président-fondateur du RIN et témoin privilégié de ces négociations, après avoir relaté les péripéties qui ont marqué les rencontres ayant eu lieu entre juin et août 1968, en tire la conclusion suivante :

> [...] il est vite devenu évident, au cours des entretiens, que la direction du MSA (c'est-à-dire non seulement René Lévesque mais la plupart des anciens libéraux de son entourage) ne souhaitaient pas une fusion avec le RIN mais cherchaient même le moyen de l'éviter, ce qui explique le durcissement des conditions posées par le MSA à mesure que le RIN inventait des formules de compromis. Si le MSA était disposé à accueillir volontiers dans ses rangs, à quelques exceptions près, les militants et les membres du RIN (comme l'avenir, d'ailleurs, le confirmera), il était extrêmement réticent à toute idée de fusion en termes de partis. Pour le MSA, le RIN faisait figure de repoussoir[1].

Comme il s'agissait en effet de rassurer le peuple plutôt que de continuer à lui désapprendre la peur, le RIN, mouvement décolonisateur qui cherchait à ouvrir aussi grande que possible la porte de la révolte, seule issue par où peut s'échapper le désir de libération et de liberté, ne pouvait que contrarier la volonté du MSA d'agir et de réaliser ses objectifs, en faisant l'économie d'un bouleversement radical des consciences et du rapport dominant-dominé.

Si bien que, involontairement sans doute, mais ce n'en est pas moins l'événement le plus tragique et le plus significatif de l'histoire de nos récentes luttes, le MSA a fait achopper les négociations sur la question des droits linguistiques des anglophones du Québec. Il tenait *à tout prix* à inscrire la reconnaissance et la protection de ces supposés droits dans le programme du futur parti, alors que le RIN n'était prêt à adopter de telles mesures qu'à la seule condition qu'elles soient temporaires et considérées sous l'angle des privilèges. Divergence de points de vue qui ne pouvait qu'entraîner des prises de position opposées et qui s'exprimèrent brutalement dans «l'affaire de Saint-Léonard». À la suite de la prise de contrôle par des membres du Mouvement pour l'intégration scolaire (MIS) de la commission scolaire de ce quartier de Montréal et à la suite de leur décision de remplacer dans toutes ses écoles l'enseignement en anglais par un enseignement en français, une crise éclatait qui conduisit à l'adoption de la loi 63. Or l'enjeu de la crise était l'intégration des immigrants à la majorité francophone. Pourtant, le MSA condamna sévèrement l'action du MIS. Au contraire, le RIN l'appuya sans réserve. Alors, écrit André d'Allemagne :

> On exige des représentants du RIN, non seulement qu'ils acceptent le point de vue du MSA sur la question linguistique mais qu'en outre ils s'engagent, par documents portant leurs signatures, à défendre personnellement cette position tant à l'intérieur du parti unifié que vis-à-vis de l'extérieur[2].

Le MSA faisait de cette exigence tout à fait inacceptable pour le RIN une condition *sine qua non* de la poursuite des négociations.

Ainsi, deux mouvements en principe également voués à l'émancipation nationale de leur peuple échouent à s'entendre sur les conceptions qu'ils se font, non pas de l'avenir de ce peuple, mais de celui de l'oppresseur.

Plus aliéné que ça, tu meurs.

À petit feu. En douce. Sournoisement. Car c'est bien ainsi que s'affaiblit et finit par disparaître un peuple à qui on ne reconnaît pas le droit de se consacrer par tous les moyens légitimes à la défense exclusive de son existence nationale menacée.

Faut-il dès lors nous étonner que, près de trente ans plus tard, le peuple québécois en soit toujours à livrer la bataille de la langue?

Certes pas, si l'on considère qu'elle est menée sous l'égide du Parti québécois qui, en 1996, à l'instar du MSA de 1967, pense et agit comme si le peuple québécois était un peuple fautif du seul fait d'exister. Et vlan! de le culpabiliser. Surtout s'il vient d'avoir l'audace de se dire OUI. C'est donc avec un empressement aussi indigne qu'injustifiable, quoique pas surprenant, que les Bernard Landry et autres potentats du gouvernement et du parti battaient leur coulpe en blâmant à qui mieux mieux M. Jacques Parizeau qui, envahi par un profond sentiment d'injustice et donc débordé par une saine colère, a osé au soir du référendum identifier les ennemis objectifs du peuple québécois à ce moment précis de son histoire.

Malheureusement, ces potentats si prompts à se scandaliser des propos de tout indépendantiste qui ose appeler un chat, un chat, ou, plus politiquement dit, un ennemi, un ennemi, se gardent bien d'inviter le peuple québécois à envahir les rues derrière eux pour protester haut et fort, dans l'honneur et la dignité, contre les manifestations de mépris méthodique et malveillant déployées contre lui sur les grandes scènes du monde par ses ennemis séculaires — qu'ils portent leur propre chapeau haut-de-forme ou qu'ils se déguisent en Amérindiens à coiffure de plumes, ou en ethnies en costume du pays, ou, quel spectacle, *my God*, en Canadien français en *coat* à queue de ministre du Canada. Tous ces vertueux démocrates, admirez bien la passe, qui n'ont de cesse, quand ils parlent au Québec, de proclamer l'égale appartenance des Québécois de toutes origines au peuple québécois, en limitent la composition, lorsque, ailleurs, ils l'accusent des pires racisme et fascisme, aux seuls Québécois de souche, sans encourir, eux, pour une si honteuse restriction aucune foudre, ni les leurs, loi du plus fort emporte, ni les nôtres, aliénation oblige.

Ainsi, d'autoflagellation en silence sur les turpitudes de l'adversaire, le Parti québécois contribue à miner le sentiment si continûment fragile dans la conscience du peuple québécois de l'absolue légitimité de son droit à une existence nationale pleine et entière, épanouie en État national indépendant, aujourd'hui la forme quasi universelle d'organisation politique des peuples.

Ainsi en sommes-nous encore à livrer la bataille de la langue. Par surcroît, selon la même donne qu'en 1967. C'est en effet la conception aliénée et aliénante que le Parti québécois se fait des droits des anglophones du Québec qui est au cœur du projet de loi linguistique du gouvernement Bouchard.

Bien qu'intitulé « Le français langue commune », le projet de loi 40 maintient en effet la loi 86 qui, bien au-delà de la question de l'affichage commercial dans les deux langues (français et anglais) à laquelle la réduit démagogiquement le débat actuel, avait pour but et a pour résultat une bilinguisation généralisée de la société québécoise. Non seulement a-t-elle permis un élargissement considérable de l'usage de la langue anglaise dans tous les lieux et tous les domaines de l'activité publique, mais elle a redonné à l'anglais son statut de langue officielle dans de nombreux processus administratifs et judiciaires et rétabli son égalité juridique avec le français, en plus de valider la clause Canada. Et j'en passe certainement, n'étant pas en mesure, dans ma retraite de L'Anse-Mercier, d'effectuer les recherches qui me rappelleraient ou me révéleraient l'étendue des dégâts de la loi 86 sur la francisation du Québec entreprise par la mise en application, en 1977, de la Charte de la langue française.

Pourtant, il y a plus pervers encore comme effet que cette bilinguisation galopante de la société québécoise. Ce qu'il faut comprendre, c'est que, en maintenant la loi 86 dans son propre projet de loi linguistique, le gouvernement du Parti québécois accrédite l'opinion que les revendications des anglophones du Québec sont légitimes, comme le sont celles des minorités nationales, comme elles le deviendront dans un Québec souverain. Pour l'heure, cependant, tant que le Québec demeure une province du Canada, loin d'être légitimes, elles relèvent de l'abus de pouvoir.

Dans le Québec, province du Canada, les anglophones du Québec sont des Canadiens anglais qui constituent le peuple majoritaire du Canada, le peuple qui détient le pouvoir de brimer nos droits et de défaire nos lois en toutes matières, y compris en matière linguistique, comme le démontre la destruction de la Charte de la langue française.

Ainsi, les Canadiens anglais du Québec se sont servis de toutes les institutions juridiques et politiques canadiennes, principalement de la Cour suprême et du gouvernement libéral du Québec, pour faire modifier et abroger un nombre si considérable d'articles de la loi 101 qu'elle en est devenue quasi inopérante.

Et ce n'est pas fini, puisque aussi bien ils se servent maintenant du gouvernement Bouchard pour maintenir en vigueur la loi 86, qui pour le moment tolère la prépondérance du français au Québec. Pas pour très longtemps, toutefois, s'il faut en croire Howard Galganov et les adeptes de son mouvement, décidés à tout mettre en œuvre pour une bilinguisation intégrale du Québec, prélude à son anglicisation inévitable. Car, comme l'expérience le démontre et comme l'a déjà si bien dit un professeur de McGill, M. Gregory Baum, souvent cité depuis : « Au Québec, mettre les deux langues sur le même pied équivaut à mettre les deux pieds sur la même langue », le français évidemment.

Et ce n'est pas fini, puisque aussi bien les Canadiens anglais du Québec useront toujours de tous les pouvoirs dont ils disposent : Loi constitutionnelle canadienne, Parlement canadien, Cour suprême du Canada, Assemblée nationale du Québec, Cour supérieure du Québec, etc., pour arriver à leur fin qui est de vivre au Québec comme chez eux, en peuple majoritaire, puisque au Québec, province du Canada, ils le sont.

Il ne faut dès lors pas nous étonner que le peuple québécois en soit toujours à livrer la bataille de la langue, puisque les Canadiens anglais du Québec n'accepteront jamais de vivre dans une province unilingue française et qu'ils tiennent le gros bout du bâton pour nous imposer leurs droits et privilèges de peuple majoritaire, leurs lois en matière linguistique et culturelle, comme en toutes autres matières.

Ainsi, ils peuvent vivre en anglais au Québec, de leur lever à leur coucher, de la naissance à la mort, non, comme nous nous en donnons l'illusion, parce que nous sommes tolérants, mais parce qu'ils sont intolérants et qu'ils abusent et abuseront toujours du rapport des forces en présence qui, dans un Québec, province du Canada, leur permet de nous écraser.

Et nous nous écrasons, leur épargnant ainsi la peine de nous mater, nous épargnant la peine de nous battre, sans nous rendre compte que c'est cette stratégie qui nous conduit par le chemin le plus direct à la paix du cimetière.

En passant par la paralysie du *bunker*.

Car voilà bien où en est arrivé le Parti québécois après bientôt trente ans d'existence : non pas à la réalisation de l'indépendance, non pas à l'important réaménagement des pouvoirs entre le Québec et le Canada visé par le projet souveraineté-association, pas même à l'acquisition d'un seul nouveau pouvoir ni au rapatriement de ceux perdus depuis la Seconde Guerre mondiale, incapable même de protéger la souveraineté de ce qui nous reste de compétences dites exclusives, incapable même de conserver les acquis de la Révolution tranquille et du premier gouvernement Lévesque, mais, au contraire, plus forcé que jamais à un partenariat avec totale dépendance.

En plein exercice du pouvoir pour un troisième mandat, le Parti québécois enlise le Québec dans l'administration quotidienne d'un gouvernement plus provincial que jamais, plus soumis que jamais aux dispositions de la Constitution canadienne de 1982 que l'Assemblée nationale n'a pourtant pas signée. Non seulement se montre-t-il impuissant à réaliser la plus grande partie de son programme électoral, mais ses hautes instances et son gouvernement modifient des pans entiers de ce programme avant même d'avoir soumis ces changements à l'approbation de ses militants qui se réuniront en congrès en novembre prochain.

Au lieu de se servir du pouvoir comme d'une arme de combat dirigée contre les lois constitutionnelles, les pouvoirs politiques et les puissances économiques qui l'empêchent de légiférer de manière à répondre aux besoins, intérêts et aspirations du peuple québécois, il s'incline devant la situation comme devant une fatalité. En ce troisième mandat d'exercice du pouvoir, le Parti québécois recule en effet sur tous les fronts, aussi bien en matière de développement économique en fonction d'une plus grande justice sociale qu'en matière de développement culturel en fonction du plein épanouissement de l'identité nationale du peuple québécois dans l'intégration de toutes ses composantes ethniques.

Le manque de détermination de ce gouvernement, pourtant récemment placé sous le signe de l'audace, à prendre le taureau par les cornes pour légiférer en faveur des droits et des besoins de la majorité du peuple dans des domaines aussi vitaux pour son avenir que la langue et l'éducation, aussi majeurs que l'équité salariale et l'emploi — hésitation qu'il tente de dissimuler sous une apparente recherche de consensus — non seulement accroît le scepticisme et le désintérêt déjà catastrophiques du peuple envers la politique, mais le divise contre lui-même, ainsi des francophones sur la langue, ainsi des travailleurs et des sans-emploi sur les questions de l'emploi et de l'équité salariale, ainsi des agents scolaires sur la réforme de l'éducation, etc.

Bouclant la boucle, de recul en maintien de la confusion en compromis permanents sur les enjeux et les conséquences de la souveraineté d'un État québécois indépendant, ce gouvernement nous conduit à un train d'enfer à tout ce qui était déjà en germe dès la fondation du Parti québécois : l'abandon de l'indépendance comme objectif et moyen de libération nationale du peuple québécois, de son émancipation politique et sociale.

L'échec de ce gouvernement, dont l'impuissance à même restaurer la Charte de la langue française, pourtant au cœur de l'identité nationale du peuple québécois, elle-même au fondement du projet de création d'un État québécois indépendant et souverain, donne la preuve, désormais irréfutable, de la totale inefficacité de la stratégie, en tant que stratégie unique, du Parti québécois, depuis ses débuts : prendre, exercer et conserver le pouvoir à tout prix pour, en principe du moins, réaliser rapidement et sans douleur la souveraineté du Québec, ne serait-ce que celle définie à l'article premier de ses programmes successifs.

Pourtant, même monsieur de La Palice n'aurait pas hésité à le dire, il ne saurait y avoir œuvre d'émancipation nationale — ni autre d'ailleurs — qu'inscrite dans une approche véridique et sans concession de la réalité, puisqu'on ne peut mener un peuple, pas plus le peuple québécois qu'aucun autre, à vouloir, à faire et à assumer son indépendance, en prétendant l'y conduire en catimini, dans une démarche qui l'écarte totalement du processus.

Puisque le Parti québécois, dominé par ses technocrates et fonctionnaires plus enclins à le considérer comme un univers de carrière que comme le lieu privilégié de lutte pour l'accession du Québec à l'indépendance, se montre à l'évidence impuissant à se servir du pouvoir pour conduire les événements plutôt que de les subir ; puisqu'il se montre inintéressé à mobiliser le peuple, tout entier occupé à assurer sa stabilité, si obnubilé par le rendement de l'outil qu'il en perd de vue l'immensité du chantier, il est devenu impérieux que ses membres et militants exigent une révision radicale d'une stratégie si peu appropriée à l'objectif qu'ils poursuivent.

Il est également devenu impérieux que les groupes sociaux et mouvements politiques indépendantistes, depuis trop longtemps assujettis à l'hégémonie du Parti québécois, reprennent l'initiative de leurs propres combats et retrouvent toute leur liberté d'action.

Il est devenu impérieux que l'ensemble du mouvement indépendantiste prenne ses responsabilités et déploie sa pensée et son action dans une stratégie de longue haleine, fondée sur une approche claire de la réalité, qui n'est pas le produit d'un fantasme idéologique mais le résultat de notre histoire, de l'histoire d'un peuple qui subit depuis 237 ans les effets répétés sous de multiples formes de la Conquête, dont le plus pernicieux a été de l'aliéner, de le rendre si étranger à lui-même qu'il n'arrive plus à se concevoir comme un peuple entièrement libre d'assumer seul son destin en fonction de ses seules aspirations, de ses seuls besoins, de ses seules priorités.

Il est ainsi devenu impérieux que le mouvement indépendantiste, avec ou sans le Parti québécois, se dote d'une stratégie de longue haleine fondée sur la désaliénation du peuple, puisque l'accession démocratique du Québec à l'indépendance ne peut être que le résultat de sa volonté ferme, inébranlable, *irréfutable* de la réaliser comme nous le prouvent — comme s'il avait dû en être besoin — les tentatives actuelles de nos ennemis pour empêcher la tenue d'un nouveau référendum décisif.

Le mouvement indépendantiste, avec ou sans le Parti québécois, doit se doter d'une stratégie de longue haleine susceptible de se déployer dans un faisceau de tactiques propres à chaque formation qui le compose et dans une combinaison d'actions distinctes mais convergentes, visant toutes le même but d'ensemble : l'indépendance comme condition *sine qua non* d'une véritable transformation de la société québécoise en vue de la libération nationale du peuple québécois, de son émancipation politique et sociale.

Une telle stratégie repose en effet sur la mobilisation et l'action constante des forces de contestation de l'ordre établi dans des luttes concurrentes ou successives qui, de batailles gagnées en batailles gagnées, mènent à un renversement irréversible du rapport des forces en présence, puisque seul un tel renversement préalable permettra au peuple québécois, le moment venu, de livrer victorieusement le combat décisif.

Il importe ainsi au plus haut point, dans une lutte démocratique dont l'objectif subvertit l'ordre établi, en l'occurrence l'ordre constitutionnel et politique canadien, que les forces indépendantistes s'approprient progressivement des positions idéologiques, symboliques et politiques inexpugnables, de la même manière que dans un combat militaire les troupes s'emparent d'une position géographique et l'interdisent à l'ennemi.

Car le facteur essentiel d'adhésion et de mobilisation est d'établir dès maintenant le prestige de l'indépendance.

Le Parti québécois : Pour ou contre l'indépendance ?, Montréal, Lanctôt éditeur, 1996, p. 43-79.
1. André, d'Allemagne, *Le RIN et les débuts du mouvement indépendantiste québécois*, Montréal, L'Étincelle, 1974, p. 132.
2. *Ibid.*, p. 131.

Conversation souveraine :
lettre à Gaston Miron

Cet hommage à Gaston Miron a d'abord fait l'objet d'une lecture
publique à l'amphithéâtre du Cégep du Vieux-Montréal, au cours
de la soirée organisée par les amis du poète et les Éditions
de l'Hexagone après son décès, à l'automne 1996.

Je connais tout de Gaston Miron, mais je ne sais rien de lui.

Très cher Gaston, voilà bien la seule chose vraie que je pourrai
dire de toi, ce soir, en ce lieu où plusieurs centaines de tes amis se
sont rassemblés pour te rendre hommage, certes, mais plus certainement encore dans l'espoir de te retrouver dans la multiplication
de toutes les représentations que nous avons de toi, chacun d'entre
nous portant en lui, en elle, une image privilégiée de toi.

Car il est bien vrai que tu as emporté avec toi le secret de l'unité
de ton être que mille lectures et relectures de ton œuvre ne nous
révéleront jamais tout à fait. Tu étais, comme je te l'ai quelquefois
dit avec admiration, non seulement un homme discret, mais, dans
ta vie comme dans ton œuvre, un véritable classique, un homme et
un écrivain qui se méfiait de l'expression des états d'âme, qui évitait
les confessions biographiques de peur de réduire la personne à
quelques anecdotes. Même animé de la plus réelle compassion ou de
la plus vive estime pour ton prochain, ne t'intéressait de sa vérité
que ce qu'elle avait d'universel : cette puissance humaine à mener
simplement, entre la naissance et la mort, les luttes toujours à
recommencer pour la dignité et la liberté, quelles que soient les
circonstances, banales ou exceptionnelles, de la vie de chacun.

Ce qui explique, peut-être, que toute conversation avec toi était
ou souveraine ou impossible.

Combien de fois t'ai-je vu gêné par l'insignifiance de ton inter-
locuteur. Alors, tu te mettais à parler, seul, pourrait-on dire. Un jour
que je t'observais, portée à blâmer ton attitude, j'ai soudain compris

que c'était par générosité que tu semblais assumer seul l'échange auquel tu étais contraint, qu'en réalité tu espérais que la gravité de ton propos et, mieux, la gravité de ton rire, avec ses vibrations préméditées, appelleraient à cette inquiétude qui rompt le commerce ordinaire, le soumet à l'exigence d'un rapport fondé sur le désir de toucher à l'essentiel.

En ce qui nous concerne, je me rends compte maintenant combien furent rares nos tête-à-tête au cours d'une relation qui a pourtant duré un peu plus de quarante ans. Ainsi, je n'ai connu qu'un nombre restreint de fois le bonheur d'une « conversation souveraine » avec toi, comme tu aimais les qualifier, qui ne peut naître, disais-tu, empruntant l'expression à un écrivain dont j'ai oublié le nom, que « d'une fraternité poétique ». La dernière remonte à très loin déjà, à juillet 1992. Quand je pense à toi, cher, très cher Gaston, tu m'apparais d'abord tel que je t'ai vu et entendu, cette fois-là, et mon ennui de toi est infini.

Cela se passait sur mes terres que tu aimais tant parcourir, matin et soir, avant et après nos longues journées de travail, passées à composer notre anthologie des grands textes indépendantistes.

Assise sur la galerie où je t'attendais pour le souper, je te regardais revenir par le chemin du verger de ta promenade vespérale.

Juste avant de le plonger dans le clair-obscur de la belle nuit qui s'avançait, le soleil inondait le paysage d'une brève recrudescence de lumière qui, paradoxalement, adoucissait toutes choses, même ta rude silhouette.

Adossé sur l'horizon en feu, tu t'immobilisas pendant plusieurs minutes, arrêté dans ta marche par l'étreignant émerveillement qui s'emparait de toi devant toute beauté. Et je me disais que sous tes apparences durables d'homme dispersé, il y avait longtemps que tu avais fini de te rapailler.

Puis soudain, comme si des jambes et des bras multiples te poussaient et, avec eux, des intentions et des gestes en tous sens, tu repris ta marche vers la maison, manifestement pressé de traverser l'inexprimable, en répétant d'une voix de plus en plus forte : « Que c'est beau, que c'est beau, que c'est beau, batêche de batêche. »

Moi, je pensais, sans le dire : « Que tu es beau, que tu es beau, cher, très cher Gaston Miron. »

C'est alors que tu te mis à me parler de l'espérance. C'est alors que je me mis à t'en parler. Nous avions à dire d'elle des choses qui nous habitaient de la même manière, en ce lieu de notre existence où il nous était impossible de cesser d'explorer, de défricher, d'arpenter, de mesurer les conditions de notre dignité et de notre liberté, pour nous indissociables de la dignité et de la liberté de notre peuple, au-delà même de l'espoir de le voir jamais les conquérir.

Je crois, aujourd'hui, que c'est cette espérance, vécue même dans l'angoisse du désespoir, devant la vanité des efforts humains pour vaincre la sujétion, la souffrance et la mort, qui te donnait figure de prophète, de celui qui ne prédit pas l'avenir, mais qui, prenant le présent à bras-le-corps pour le transformer, appelle un avenir différent.

Parce que tu as accompli cette œuvre d'espérance mieux que personne, dans le plus pur désintéressement, tu vivras sans fin parmi nous, dans une résurrection quotidienne.

Et je t'en remercie.

L'Action nationale, vol. 87, n° 9, septembre 1997, p. 279-281.

Le secret de son engagement : la souffrance au cœur du don

Sous la direction de Simone Bussière, cet ouvrage rassemble plus de cinquante textes, rédigés par des amis et des admirateurs de Gaston Miron, qui témoignent de leurs liens avec le poète disparu et lui disent un dernier adieu.

Premier lundi de mai 1957, six heures du soir, à la sortie de la librairie Beauchemin, angle des rues Vitré et Sainte-Élizabeth, à

Montréal, un homme, inimaginable aux yeux de la jeune fille banale et illettrée qui l'écoute, récite un poème auquel elle ne comprend rien, si ce n'est qu'il exprime une souffrance d'une acuité encore insoupçonnée d'elle.

Elle regarde ébahie et inquiète cet inconnu — son patron, depuis le matin — sortir de lui-même, toute voile dehors, et qui, pourtant, elle en est immédiatement certaine, est un homme secret.

Trente-cinq ans plus tard, au printemps et à l'été 1992, Gaston Miron a vécu chez moi, à la campagne, où nous avons réalisé notre anthologie des *Grands textes indépendantistes, 1774-1992*. J'ai alors compris que cette discrétion, décelée au premier jour de notre rencontre, était à la source et au cœur de la qualité exceptionnelle de la vie sociale bien remplie de notre poète itinérant.

À une remarque qu'un soir j'osai lui faire à ce propos, il m'a simplement laissé entendre que son expérience du secret était inextricablement liée à son expérience de la souffrance, que toutes deux l'avaient conduit à une saisie intime de la profonde universalité de chaque existence humaine et aussi de son irréductible altérité.

Ainsi, Gaston Miron, parlant et gesticulant, occupant sans cesse le centre du monde, savait pénétrer l'âme d'autrui et la respecter. D'où, sans doute, les liens à la fois attachants et libres qu'il a su tout au long de sa vie tisser avec celles et ceux avec qui il partageait ses idéaux, dont ceux de la libération nationale de son peuple et de l'accession du Québec à l'indépendance politique.

C'est du souvenir tenace de la véritable souffrance éprouvée autant dans sa chair que dans son âme, au moment de sa prise de conscience de la condition de l'homme québécois : colonisé, dominé, exploité et, dans sa langue et sa culture, opprimé, que sont nées et se sont développées chez Gaston Miron la résistance au cours mauvais des choses et la volonté de lutter contre tout ce qui tend à le justifier. Ainsi, c'est la souffrance et non une quelconque idéologie qui a rendu nécessaires sa pensée, son action, son poème.

Et je lui suis infiniment reconnaissante d'avoir pleinement assumé notre aliénation, la transformant en source de dépassement et en appel à la liberté.

Les adieux du Québec à Gaston Miron, Montréal, Guérin éditeur, 1997, p. 78-79.

« Penser la nation » ou comment circuler dans son cercle vicieux

Durant l'été 1999, le journal *Le Devoir* publiait un grand dossier, « Penser la nation ». Pendant douze semaines, autant de personnalités ont défini leur position sur ce sujet[1]. Andrée Ferretti les a lus et a fait part de ses commentaires à la rédaction de *L'Action nationale*. À l'automne, cette revue lui confiait la couverture du colloque tenu à l'Université McGill sur le même sujet et réunissant en panel les mêmes auteurs.

Comment rentrer dans le rond de son impossibilité motrice ? Rien ne serait plus simple, à en juger par les contributions des douze intellectuels invités par *Le Devoir* à penser la nation. Il suffit de fabriquer sur son ordinateur le futur (pas l'avenir, qui exige mémoire et luttes) d'une nation québécoise complètement mythique, en dérobant leur sens aux mots qui la définissent et aux faits qui la constituent dans l'histoire réelle. Il suffit en effet de s'abstraire de la réalité, d'ignorer que ce n'est qu'avec la formation d'une conscience nationale, qui est un processus lent, qu'un peuple atteint au statut de nation ayant droit à son autodétermination. Il suffit de penser la nation en niant le problème fondamental soulevé par la question nationale, à savoir le destin de la nation canadienne-française et, par extension, du peuple québécois.

Comment cela s'est-il passé au colloque tenu le 8 octobre à l'Université McGill et organisé par *Le Devoir*, en collaboration avec le Programme d'études sur le Québec de cette université, pour faire suite à la série d'articles parus dans le journal, au cours de l'été ?

Les mêmes douze intellectuels que nous avions lus dans *Le Devoir* étaient sur la tribune. Regroupés par quatre dans le cadre des trois ateliers suivants : 1) « La nation québécoise à l'heure de la mondialisation, sa pertinence, son institutionnalisation » ; 2) « La nation, les rapports intercommunautaires et les droits des minorités », et 3) « Penser la nation québécoise », dont les travaux se sont succédé, ayant lieu dans la même salle et devant le même public, chaque invité a repris son texte paru dans le journal, sans modification significative, apparemment imperméable à l'opinion des onze autres. Après lecture des quatre contributions, un commentateur[2] les analysait et/ou posait des questions à leur auteur respectif qui lui répondait en reprenant ce qu'il avait déjà écrit et dit. Enfin, le travail de chaque atelier était complété par une période d'une durée stricte de 15 minutes allouée aux questions du public, avec interdiction d'émettre un commentaire, et auxquelles répondait l'interpellé, en répétant ce qu'il avait déjà écrit et dit.

Il va sans dire qu'ainsi inanimé, le débat normalement attendu d'un tel exercice n'a pas eu lieu. Pas plus, d'ailleurs, que dans les pages du journal où à peine quatre articles de lecteurs ont paru dans la page «Idées» et sont restés sans réponse de la part de l'un ou l'autre des auteurs de la série de textes publiés l'été dernier. Pas plus qu'il ne pouvait surgir de l'édition Internet du *Devoir* où, pourtant, au moins une douzaine de lecteurs, dans des textes souvent fort substantiels, bien documentés et engagés, ont tenté de l'amorcer en répliquant aux auteurs des textes. Non seulement parce que ceux-ci, mis à part Serge Cantin, n'ont pas engagé de dialogue avec ces lecteurs qui souvent récusaient leur point de vue, non seulement parce que la lecture isolante sur Internet ne permet pas au lecteur de se sentir en communication publique avec un groupe précis, ne serait-ce que celui des lecteurs d'un journal. Non, le débat n'a pas eu lieu et ne pouvait avoir lieu puisque les intellectuels appelés à penser la nation québécoise n'ont pas répondu à l'invitation du *Devoir*. ILS N'ONT PAS PENSÉ LA NATION QUÉBÉCOISE. Ils en ont fabriqué une de leur cru.

Dix des douze intervenants ont tenu des discours qui, en effet, n'étaient soutenus par aucune pensée du phénomène, puisqu'ils ont été incapables de l'appréhender dans ses données véritables. En expulsant hors de l'histoire, avant même qu'il ait été transcendé, l'événement crucial qui détermine encore le destin de la nation canadienne-française et, par le fait même, celui du peuple québécois tout entier, à savoir la conquête anglaise et ses conséquences indéfiniment répétées sous diverses formes, ils s'interdisaient de penser les conditions de son émancipation. D'où la proposition d'une nation imaginaire fondée sur la mission de la nation canadienne-française de s'oublier, de renoncer à tout ce qu'elle est, en réduisant ses éléments constitutifs à son attachement à la langue française, pour mieux renaître subitement de ses cendres déguisée en nation multiethnique, susceptible d'évoluer dans un État souverain ou pas, selon les « penseurs ».

Mis à part Serge Cantin, qui s'est référé à l'histoire réelle de la formation de la nation canadienne-française, l'inscrivant ainsi dans l'espace nécessaire d'une mémoire collective pour que cet espace puisse devenir ouverture sur une histoire différente plutôt qu'enfermement dans la répétition, d'une part, et Gilles Gagné qui a proposé l'avènement d'un État québécois souverain pour contrer les effets destructeurs de la mondialisation du capital libéralisé sur la vie des nations et des peuples, d'autre part, donnant ainsi à la nation un projet concret à réaliser, les autres intervenants n'ont fait que brouiller la réalité, n'ont fait qu'enclore le combat politique dans une vision a-historique des luttes à mener, contribuant ainsi au travail de sape à l'œuvre depuis le référendum de 1995, effectué brutalement par le gouvernement canadien et le Canada anglais, ou subtilement par des intellectuels confortablement installés dans le *statu quo*.

D'où la futilité d'entreprendre un débat avec eux.

D'où que je m'en sois gardée.

L'Action nationale, vol. 89, n° 9, novembre 1999, p. 7-10.
1. Charles Taylor, « De la nation culturelle à la nation politique » ; Daniel Jacques, « Des conditions gagnantes aux conditions signifiantes » ; Gilles Bourque, « La nation, la société, la démocratie » ; Marc Chevrier, « Notre république en Amérique » ; Gregory Baum, « Nationalisme et mouvements sociaux contre l'hégémonie du marché » ; Denis Delâge, « Les trois peuples fondateurs du Québec » ; Jane Jenson, « De la nation à la citoyenneté » ; Jocelyn Létourneau, « Ni nation québécoise, ni nation canadienne » ; Serge Cantin, « Pour sortir de la survivance » ; Gilles Gagné, « Un projet d'État pour contrer le capital libéralisé » ; Danielle Juteau, « Le défi de la diversité » et Gérard Bouchard, « Construire la nation québécoise ».
2. Il s'agissait de Jacques Beauchemin pour l'atelier 1, de Claude Bariteau pour l'atelier 2, et de Michel Seymour pour l'atelier 3.

Pour la puissance des citoyens et des citoyennes contre le pouvoir occulte du capital mondialisé

Le Bureau d'audiences publiques sur l'environnement (BAPE) a pour mission d'informer et de consulter la population sur des questions relatives à l'environnement. En novembre 1999, le BAPE organisait des séances de consultations publiques sur la gestion de l'eau. À l'invitation d'EAU SECOURS, un groupe d'intérêt public qui lutte pour une politique écologique, globale et intégrée de la gestion de l'eau, Andrée Ferretti y présentait un mémoire.

Comme l'anthropologie le démontre bien, les peuples primitifs du monde, ceux d'aujourd'hui comme ceux d'hier, ne sont pas pauvres, les biens dont ils ont nécessité ne sont pas rares et leur existence ne se borne pas à subsister, puisqu'ils ne consacrent en moyenne que 40 % de leur temps disponible pour satisfaire tous leurs besoins.

Ce n'est que lorsque les possibilités productives se multiplient qu'apparaissent la richesse et la pauvreté, pour la simple raison que la minorité qui s'empare de la propriété ou du contrôle des moyens de production, s'approprie dans le même mouvement les richesses produites et les font dès lors paraître comme « naturellement » rares.

Ce qui prouve qu'il n'y a pas de destin tragique de l'humanité, qu'il n'y a que des drames historiques. Donc, en principe, évitables. Il suffirait de voir venir et de prendre aussitôt les moyens appropriés à l'enrayage de la catastrophe appréhendée.

Malheureusement, ceux qui gouvernent le monde, ici comme ailleurs, qu'ils exercent officiellement le pouvoir ou qu'ils le contrôlent clandestinement dans ses officines, ont généralement la vue courte et la conscience à l'avenant. D'où les dangers nombreux et permanents qui menacent plus ou moins gravement les sociétés, d'où l'absolue nécessité pour les citoyens et les citoyennes d'avoir l'œil vigilant et la conscience aussi aiguisée que droite.

C'est ce sens de mon devoir d'intervention en regard d'une éventuelle pénurie mondiale d'eau qui m'a amenée à me parer du titre de « porteuse d'eau » et à en assumer quelques tâches, dont celle de paraître aujourd'hui devant vous, avec l'espoir que mon humble contribution attirera votre attention sur la nécessité pour vous d'élaborer des recommandations qui ne laisseront à notre gouvernement aucune possibilité d'échapper à sa responsabilité d'établir une politique et d'adopter des lois conséquentes qui garantiront au peuple québécois le plein exercice de sa souveraineté sur la propriété, la gestion, la protection et la conservation de ses immenses ressources hydriques, pour en jouir et pour les partager à sa manière avec les autres êtres humains de la Terre.

ANNE, MA SŒUR ANNE?...

— Une pénurie d'eau, dis-tu? Tu exagères. Ils ne pourront quand même pas assécher la planète. Sais-tu seulement que le volume d'eau qu'elle contient s'élève à 1,34 milliards de km^3? Ils ne pourront quand même pas rendre rare une telle ressource, en se l'appropriant totalement.

— Oui, justement.

— Ils ne pourront quand même pas assécher nos dizaines de milliers de lacs et de rivières, notre long et profond Saint-Laurent, sans que nos gouvernements, celui du Québec, en tout cas, interviennent.

— Oui, si nous, citoyens et citoyennes, ne nous mobilisons pas et ne nous organisons pas pour les en empêcher.

La pénurie d'eau est devenue l'inévitable problème politique qu'on doit se poser quand on se pose cet autre inévitable problème, celui de la vie. Je tiens pour acquis qu'il n'est nul besoin, ici, de rappeler que, sans l'eau, la Terre serait, comme tant d'autres, un astre mort, que sans l'eau il n'y aurait pas d'humanité. Je tiens pour acquis que chacun sait que pour vivre et agir, les êtres humains ont toujours été, sont et seront toujours des consommateurs d'eau. Ce qui sous-tend qu'en principe nous sommes tous conscients non seulement de l'importance de l'eau, mais de notre devoir d'en protéger les sources, d'en maintenir la quantité et la qualité. Ce qui n'est évidemment pas le cas.

En réalité, particulièrement au Québec où ses réserves semblent inépuisables, l'eau se présente partout au monde, sauf dans les régions déjà désertiques, non comme une denrée précieuse, mais comme un élément familier de la vie quotidienne dont on n'a pas à se soucier. Ce qui pourrait s'avérer fondé, si les forces aveugles, cupides et stupides des marchés mondialisés ne voyaient dans l'exploitation de la ressource le nouvel « Eldorad'EAU » — comme le dit si bien Hélène Pedneault — de leur enrichissement.

En effet, les ressources hydriques naturelles existent encore, heureusement, en quantité et en qualité suffisantes pour assurer une répartition et une utilisation adéquates aux besoins des populations. Même si, avec la croissance démographique et l'augmentation conséquente des besoins alimentaires, agricoles, urbains et industriels, la marge excédentaire entre ressources et besoins ne cesse de diminuer, l'ensemble des sociétés pourraient résoudre leurs problèmes d'approvisionnement et de distribution si les États élaboraient et appliquaient, en ces matières, des politiques rationnelles, rigoureuses et justes, des politiques responsables.

Mais pour être responsable, il faut être libre. Or les États sont aujourd'hui les otages ligotés et bâillonnés du *capital libéralisé*, selon l'expression de Gilles Gagné, capital entièrement possédé et contrôlé par une oligarchie transnationale, elle-même dominée par la puissance industrielle, financière et militaire américaine. Oligarchie qui détient partout tous les pouvoirs de décision et qu'elle exerce pleinement, cachée derrière la façade de nos pseudo-démocraties, en fonction de ses seuls intérêts économiques.

Et il est très près d'arriver, s'il n'est déjà là, le temps où les grands conglomérats industriels, faisant face à des difficultés critiques d'approvisionnement en énergie hydraulique, décideront de s'approprier, par gouvernements nationaux interposés, les richesses hydriques des pays qui en disposent encore abondamment.

Soyons certains qu'à cette fin le Québec est, dans leur ligne de mire et de tir, le gibier le plus convoité. Soyons certains que le démembrement actuel de notre ministère de l'Environnement est le signe qu'ils ont atteint leur première cible. Soyons certains qu'ils n'en resteront pas là, jouissant de l'aval d'un gouvernement démissionnaire, qui n'a de cesse, depuis novembre 1996, d'abolir lois, règlements et institutions en conflit avec leurs exigences de développements industriels et d'expansions commerciales, qui n'a de cesse de démanteler le Québec pour le leur offrir pièce par pièce, afin de leur montrer qu'aussi provincial qu'il soit, il peut être dans le coup de la mondialisation et en payer le coût. Et il se courbe avec d'autant plus de souplesse qu'il n'a qu'à refiler la facture aux citoyens et citoyennes. *Et s'en vont, vont, vont* notre forêt boréale, nos ressources minières, nos nappes phréatiques, nos montagnes pour exploitation récréative et touristique, nos emplois, nos services publics, nos protections sociales et environnementales, notre langue et notre culture.

QU'Y PUIS-JE ?

C'est le système, disons-nous tous. Voilà bien l'effet le plus pervers des discours qui prolifèrent dans le monde entier et qui visent la lente mais sûre destruction des États et celle de tous les réseaux traditionnels de solidarité sociale, afin d'en arriver à l'atomisation complète des sociétés en individus isolés et impuissants, afin de lever rapidement et complètement les derniers obstacles au libre jeu des forces occultes du marché.

Et l'entreprise est en train de réussir. De plus en plus, les structures et les institutions nationales propres à l'exercice de la démocratie sont remplacées par des organismes transnationaux, telle l'Organisation mondiale du commerce (OMC) qui, en plus d'avoir fait triompher les principes du libre-échange sur tout autre facteur dans la régulation du commerce international, vise maintenant à régenter les règles de la concurrence, l'accès aux marchés publics et les lois sur les investissements, et qui se prépare, dans le cadre des négociations de Seattle, selon le dernier bulletin d'information de *ATTAC Québec*, à s'emparer du contrôle de 160 secteurs d'activité dont, évidemment, le commerce de l'eau.

Or ces forces du marché réussissent d'autant mieux à restreindre le pouvoir des États qu'elles peuvent compter sur les gouvernements pour se faire les porte-parole zélés de la *supposée* nécessité des règles économiques, politiques, sociales et culturelles de cette nouvelle organisation mondiale des sociétés nationales par les organisations transnationales de la finance, de l'industrie et du commerce.

Il est de toute évidence temps de stopper cette mise en place d'un tel gouvernement mondial, par essence antidémocratique, puisque non seulement il ne répond d'aucun mandat populaire, mais qu'il exclut délibérément la participation des sociétés civiles et de leurs parlements. Il est temps de stopper l'érosion grandissante et sans cesse accélérée de la souveraineté des citoyens et des citoyennes sur l'organisation de leur vie collective. Et nous le pouvons. Si nous avons la lucidité, le courage et la ténacité de nous mobiliser, de nous organiser et de lutter.

En effet, bien que son pouvoir soit chaque jour davantage miné et affaibli, l'État, qu'il soit politiquement indépendant ou fédéré, demeure encore, partout dans le monde, le mode d'organisation de chaque société nationale. Et il appartient à la volonté et à l'action de chacune que son État soit démocratique, c'est-à-dire que l'étendue de son pouvoir soit déterminée par la seule puissance des citoyens et des citoyennes qui la composent. Autrement dit, en démocratie, la souveraineté des citoyens et des citoyennes constitue la seule puissance légitime qui a le droit de limiter le pouvoir de l'État, qui a le droit d'en subordonner la fonction politique à la satisfaction de ses besoins.

Et aujourd'hui plus que jamais, les citoyens et les citoyennes du monde ont non seulement le droit d'exercer leur puissance, mais ils en ont le devoir. Particulièrement lorsqu'il s'agit de la question primordiale, celle vitale de la gestion, de la protection et de la conservation du bassin hydrique national.

Or pour nous, citoyens et citoyennes du Québec, qui possédons le territoire qui contient le plus gros volume d'eau douce du monde, le devoir d'intervention est absolu. Il nous incombe de forcer nos gouvernements non seulement à légiférer en fonction de nos décisions, mais à nous informer continuellement de l'évolution de la situation, afin que nous puissions décider en connaissance de cause des mesures à prendre en toutes circonstances.

En conséquence de quoi, je ne fais au Bureau d'audiences publiques sur l'environnement (BAPE) qu'une seule recommandation, à inscrire en tête de toutes ses recommandations :

Que l'Assemblée nationale vote une loi qui contraindra l'actuel gouvernement et ceux à venir à fournir aux citoyens et citoyennes du Québec les moyens juridiques, scientifiques, techniques et financiers de s'organiser en mouvements de toutes sortes, y compris en parti politique ;

1) pour promouvoir et appliquer les meilleures solutions, les plus justes et les plus efficaces, pour exploiter et répartir la totalité de la ressource ;
2) pour lutter efficacement contre toute tentative des organisations transnationales d'appropriation et de gestion de nos eaux.

De Londres à Ottawa, le terrorisme d'État dans l'histoire du Québec

À l'occasion du trentième anniversaire de la promulgation de la *Loi sur les mesures de guerre*, invitée à témoigner de ses méfaits sur plusieurs tribunes, Andrée Ferretti, elle-même arrêtée et emprisonnée pendant 51 jours, a préféré livrer cette analyse de l'événement et l'a donnée à *L'Action nationale* pour publication.

Le 16 octobre 1970, à quatre heures du matin, Pierre Elliott Trudeau, premier ministre du Canada, proclamait la *Loi sur les mesures de guerre* et avant même le lever du jour, l'armée canadienne qui, la veille, avait subrepticement commencé à envahir le Québec, l'occupait officiellement en vertu de cette loi. À la même heure et en vertu de cette même loi, 242 personnes dont plusieurs écrivains, artistes, syndicalistes et candidats du PQ aux élections précédentes étaient arrêtées et conduites en prison. La journée n'était pas terminée que des dizaines d'autres connaissaient le même sort. En quelques jours, 465 personnes avaient été emprisonnées, leurs maisons fouillées et quelquefois saccagées, leur famille apeurée et, dans certains cas, leurs enfants laissés seuls. Elles furent presque toutes libérées sans même avoir été interrogées. Le vingt et unième jour de cette manifestation de force, seules 32 personnes furent mises en accusation, détenues encore pendant plusieurs semaines pour être enfin libérées sans avoir subi de procès, la Cour déclarant qu'il n'y avait pas matière à procéder (*nolle prosequi*).

L'opération déclenchée sous le prétexte de l'urgence à contrer une montée subite des actes illégaux et de la violence politique du FLQ, alors que les membres des cellules du mouvement qui l'exerçaient étaient déjà connus et filés par la police et auraient pu être arrêtés grâce aux seuls moyens des techniques policières habituelles, ce qui est d'ailleurs arrivé quelques semaines plus tard, s'avère à l'évidence, avec le recul, une entreprise soigneusement planifiée. Elle avait pour véritable but de terroriser le peuple québécois et d'écraser par ricochet le mouvement indépendantiste qui portait à un niveau encore inégalé sa conscience nationale et sa volonté d'autodétermination.

Car il s'agit bien de cela. La promulgation et l'application simultanées de la *Loi sur les mesures de guerre* en octobre 1970, qui permit à l'armée canadienne d'envahir le Québec et aux effectifs de la Gendarmerie royale du Canada, de la Sûreté du Québec et des différents corps de police municipaux d'arrêter sans mandat et d'emprisonner sans accusations spécifiques des centaines de partisans de l'indépendance du Québec, n'est pas un accident de parcours, un acte exceptionnel qui aurait été provoqué par la violence politique du FLQ. Dans les dizaines de livres et les centaines d'articles publiés depuis trente ans, consacrés à l'histoire et à l'analyse de la Crise d'octobre[1], il est démontré de manière irréfutable que les membres des diverses cellules se réclamant de leur appartenance au FLQ étaient tous non seulement bien connus des autorités politiques et policières, mais qu'ils avaient depuis plusieurs mois et même, dans certains cas, depuis quelques années, fait l'objet d'une constante filature et autres formes de surveillance.

D'où il ressort clairement que les actions illégales du FLQ, en particulier les enlèvements de James Cross, attaché commercial à Montréal du haut-commissariat de la Grande-Bretagne, et de Pierre Laporte, ministre du Travail et vice-premier ministre dans le gouvernement libéral québécois de Robert Bourassa, n'ont été que l'occasion désirée et attendue par le gouvernement canadien, alors sous la férule de Pierre Elliott Trudeau, de passer à l'action afin de frapper, à travers la prétendue nécessité de combattre un prétendu mouvement clandestin, toutes les forces indépendantistes du Québec. Celles-ci venaient de manifester leur puissance d'attraction de manière éclatante, au moment des élections du 29 avril précédent, en amenant 23 % des électeurs à accorder leur suffrage au Parti québécois, malgré la campagne de peur menée par les *establishments* qui n'hésitèrent pas à recourir aux tactiques les plus malhonnêtes, dont le célèbre « coup de la Brinks », destiné à faire croire à l'électorat qu'une élection du PQ entraînerait une chute vertigineuse de son niveau de vie. René Lévesque, à juste titre, qualifia cette menace de « terrorisme économique ». À juste titre aussi, le soir de l'élection, il clama avec fierté devant des milliers de militants qui accueillirent ses propos avec enthousiasme : « Cette défaite ressemble à une victoire. » Cette compréhension de l'événement était entièrement partagée par toute la classe politique et économique du Canada et du Québec fédéraliste. Quelques mois plus tard, elle en donna le signe en promulguant la *Loi sur les mesures de guerre*, passant du terrorisme économique au terrorisme politique et militaire, qui est une des constantes de la logique interne de l'histoire canadienne depuis la Conquête anglaise. Ce terrorisme fait partie des nombreux processus de répression de la nation conquise. L'État y a recours chaque fois qu'il prend celle-ci en flagrant délit de volonté d'existence autonome et avant qu'elle ne devienne en mesure d'assumer sa souveraineté, même quand le rapport des forces en présence ne le justifie aucunement. Ce terrorisme, déjà, signait le passage de l'armée britannique sur les rives du Saint-Laurent, pendant la guerre de conquête. Au commencement était le terrorisme, peut-on dire.

Tout a en effet commencé dès la fin de l'été 1759, quand les troupes de Wolfe débarquées sur la côte de Beaupré en incendièrent les villages sous les regards atterrés de leurs habitants sans armes, impuissants à les défendre. En face, sur la côte Sud, de Saint-Vallier à Lévis, d'autres soldats envahissaient ces villages derrière leurs canons, placardaient sur les portes des églises la Proclamation décrétant la chute de la Nouvelle-France et pendaient devant leur maison les quelques audacieux qui protestaient, tel le capitaine Nadeau de Saint-Michel[2], « pour avoir essayé de soulever ses concitoyens contre nous », comme le rapporte dans son journal de campagne un dénommé Knox, capitaine d'escadron dans l'armée de Sa Majesté britannique, qui menait ainsi dans les règles habituelles au genre sa guerre de conquête de la Nouvelle-France.

(Car il y a bel et bien eu guerre de conquête. Toutes les dénégations à la Jacques Godbout et autres colporteurs sur nos grands et petits écrans d'une cession sans coup férir du Canada par la France à la Grande-Bretagne n'y changeront rien. Elle a eu lieu et elle a duré près de quatre ans. Elle a commencé en 1757, avec l'arrivée au pouvoir à Londres de William Pitt, francophobe avoué. Cet homme d'État, déterminé à étendre l'hégémonie de l'Empire britannique aussi bien en Amérique qu'en Asie, s'empressa de céder aux pressions des colonies anglo-américaines, qui supportaient mal le voisinage d'un Canada français et catholique et qui se montraient prêtes à engager la lutte contre lui, considéré comme un important et importun concurrent sur les marchés. La guerre s'est poursuivie pendant plus de deux ans au cours de nombreux affrontements remportés de haute lutte par les forces françaises et canadiennes pourtant considérablement inférieures en nombre, jusqu'à ce que l'armée britannique, forte de 63 000 hommes, prenne définitivement le dessus à la fin de l'été 1759 et, après un long siège, leur fasse subir la défaite sur les plaines d'Abraham. La guerre de conquête ne s'est pourtant terminée qu'un an plus tard, en septembre 1760, avec la capitulation de Montréal et la reddition de tout le pays. Ce n'est que trois ans plus tard, le 10 février 1763, que le traité de Paris ratifiera la situation de fait créée par la défaite des soldats et miliciens de Montcalm et de Vaudreuil aux mains de l'envahisseur britannique.)

La guerre de conquête achevée et l'acte de cession ratifié, les parlements britannique, d'abord, puis canadien ne furent pas constamment dans la nécessité de déployer leurs forces militaires et policières contre la nation conquise puis annexée pour l'assujettir et l'aliéner. Ils leur suffirent le plus souvent d'avoir recours à des mesures législatives et à des politiques économiques qui lui étaient défavorables pour maintenir leur domination, de même qu'à des coups de force constitutionnels : l'Union des Haut et Bas-Canada, en 1840 ; le rapatriement de la Constitution, en 1982, par exemple. Pourtant, sous le régime britannique, l'État, par deux fois au moins, en 1810 et en 1837-1838, réprima par la violence les tentatives des Canadiens — qui ne s'identifieront comme Canadiens français qu'avec l'Union, obligés d'ainsi se spécifier, le conquérant s'étant alors approprié jusqu'au nom du peuple conquis — d'exercer leurs droits et de prendre leur destin en main. Sous le régime fédéral canadien, l'État fera appel par trois fois, en 1870-1885, en 1918 et en 1970, à l'armée pour mater les mouvements rebelles et imposer ses politiques impérialistes et centralisatrices.

1810

Bien qu'à compter des années 1800 elle fut majoritaire à l'Assemblée législative, la députation canadienne demeurait impuissante à vraiment exercer le pouvoir détenu, en fait, par le Conseil exécutif et le Conseil législatif, tous deux entre les mains du Parti anglais. Les députés canadiens ne pouvaient que faire obstruction aux projets de loi défavorables aux intérêts de la majorité du peuple. En 1810, les députés du Parti canadien refusèrent de voter le budget. Afin de contrer cette opposition, le gouverneur Craig dissout l'Assemblée législative pour la deuxième année consécutive. Sous la poussée du Parti anglais, il fait saisir le journal *Le Canadien*, principal support de l'action parlementaire des députés canadiens, fait arrêter et emprisonner ses rédacteurs. Il déclenche de nouvelles élections et, pour éviter que la population renvoie les mêmes élus à l'Assemblée, il déploie, les jours de votation, avec l'intention de la terroriser, des contingents de soldats dans les rues de Montréal et de Québec.

1837-1838

Est-il besoin de rappeler comment, après avoir militairement écrasé les mouvements de rébellion actifs dans les colonies du Haut et du Bas-Canada qui réclamaient un gouvernement responsable, l'État mena sa guerre de répression dans le seul Bas-Canada, en incendiant quelques villages, dont ceux de Saint-Eustache et de Saint-Benoît, en pillant et incendiant, ailleurs, les fermes des habitants favorables au mouvement, en confisquant les biens des combattants, en violant de nombreuses femmes trouvées seules au foyer, sans oublier les exils, les déportations et les pendaisons. Est-il besoin de souligner la cause de cette différence dans le traitement appliqué aux rebelles des deux colonies. Qui ignore que les revendications politiques des patriotes anglo-saxons du Haut-Canada étaient principalement fondées sur des griefs d'ordre économique, tandis que celles, tant économiques et sociales que politiques, des patriotes canadiens étaient toutes déterminées par la question nationale ? C'est parce que l'objectif majeur des patriotes canadiens était l'indépendance du Bas-Canada, considérée comme seul moyen de libérer leur nation de la domination politique et économique des industriels, des marchands et des financiers anglais de la colonie soutenus par toutes les instances de l'État colonial, que cet État se livra à des actes terroristes gratuits pour assurer sa victoire militaire, mais destinés à briser chez le peuple conquis toute volonté de continuer la lutte.

(Pourtant, bien que ces rébellions aient échoué et que son mouvement bas-canadien ait été complètement écrasé, la révolte des Canadiens n'en continuait pas moins d'apeurer les autorités britanniques, qui ordonnèrent une vaste enquête sur ses causes et dépêchèrent Lord Durham sur les lieux pour la mener à bien. Dans son rapport publié en janvier 1839, l'enquêteur non seulement reconnaît l'existence de la nation canadienne-française, mais attribue à sa conscience nationale et à son désir d'autodétermination la responsabilité des troubles. Pour l'empêcher de nuire à nouveau, il propose la mise en vigueur de politiques propres à la rendre minoritaire et à l'assimiler. Et c'est le coup de force : l'Union des Haut et Bas-Canada sanctionnée par la reine Victoria, le 23 juillet 1840. Mise en place du processus d'annexion et d'enfermement de la nation canadienne-française dans un engrenage constitutionnel, juridique, politique, démographique et économique qui la marginalise, la soumet à des intérêts étrangers et l'aliène. Prélude à l'union fédérative de 1867 qui, sous le nom de « confédération » — dénomination abusive puisqu'elle n'a jamais eu pour but l'association de collectivités politiquement souveraines —, présidera aux destinées de la nation canadienne-française, majorité qui, aujourd'hui, au Québec, constitue la majorité du peuple québécois, celle qui aspire à l'indépendance et lutte pour son avènement.)

1870-1885

L'histoire est longue qui conduit à la répression sanglante de la deuxième rébellion des Blancs et des Métis du Nord-Ouest, et à la pendaison de Louis Riel. Elle commence en 1868, quand le Canada achète à la Compagnie de la Baie d'Hudson le vaste territoire qui comprend aujourd'hui les trois provinces de l'Ouest et les Territoires du Nord-Ouest, pour en faire une colonie d'Ottawa. Les habitants qui n'avaient pas été consultés réagirent mal à cette annexion. Les Métis et les Blancs, en majorité catholiques et de langue française, s'unirent pour revendiquer des lois et des pouvoirs qui leur garantiraient leurs droits territoriaux, linguistiques et religieux. Sous la direction de Louis Riel, ils établirent à Rivière-Rouge un gouvernement provisoire, établirent une « liste des droits », exigèrent l'ouverture de négociations avec Ottawa. Cette première lutte mena, après bien des péripéties violentes, à la création de la province du Manitoba, en juillet 1870. La population québécoise avait soutenu le mouvement et avait exigé du gouvernement d'Ottawa qu'il négocie avec Riel des clauses qui inscriraient dans la liste des droits l'égalité linguistique et scolaire du français et de l'anglais. Les Britanniques de la région, appuyés par les Ontariens, ne l'entendirent pas de la même manière. Il n'était pas question pour eux de laisser se développer une province francophone et catholique au cœur des Prairies et d'ouvrir ainsi la porte de l'Ouest à l'émigration canadienne-française du Québec. Ils s'opposèrent à l'amnistie de Louis Riel qu'ils accusèrent de meurtre, mirent sa tête à prix, après qu'il se fut exilé. Ils s'attaquèrent sans répit aux Métis qui, dépossédés de leurs terres et sans chef, quittèrent le Manitoba pour s'établir plus à l'Ouest où ils furent victimes des mêmes ennuis et persécutions. En 1885, ceux-ci rappellent Louis Riel et l'histoire se répète. Mais face à une armée de 8000 hommes munis de canons et de mitrailleuses, les troupes de Riel succombèrent rapidement, les villages et les fermes des Métis furent pillées et incendiées et les habitants refoulés encore plus à l'Ouest. Riel se rendit, subit un procès devant un jury anglais et protestant qui le trouva coupable de haute trahison et le condamna à la pendaison. Toute l'opération encore une fois, au-delà de ses causes immédiates, fut menée contre le Canada français. Il s'agissait de faire comprendre à la population du Québec que l'expansion vers l'Ouest devait être le fait du Canada anglais et servir ses seuls intérêts de tous ordres.

1918

Quand, en 1917, de retour de Londres où il avait participé à une séance du cabinet de guerre anglais, Robert Borden, alors premier ministre du gouvernement canadien, décida d'imposer la conscription, les Canadiens français firent immédiatement connaître leur farouche opposition à l'adoption d'une telle mesure. Ils ne voyaient pas pourquoi ils serviraient de chair à canon à l'armée de Sa Majesté britannique, certainement pas parce que le Canada anglais s'était engagé à lui fournir des soldats, alors qu'ils venaient de perdre coup sur coup les batailles de l'enseignement du français en Ontario et des écoles séparées au Manitoba. Borden tenta alors de former un gouvernement d'Union nationale et d'y faire entrer Laurier. Celui-ci refusa. Le premier ministre réalisa néanmoins son projet et forma un cabinet composé de treize conservateurs et de dix libéraux, dont deux Canadiens français qui s'en retireront bientôt, puis il déclencha des élections fixées au 17 décembre. Deux semaines avant ce jour, Borden, inquiet de l'opposition grandissante à la conscription, tant au Canada qu'au Québec, fit publier un décret ministériel qui en exemptait les fils d'agriculteurs. Cette manœuvre lui permit de remporter une victoire éclatante, mais non de faire taire l'opposition à la conscription qui, au Québec, était presque unanime, très active et parfois violente. La situation atteignit son point culminant au printemps 1918. À la suite de l'arrestation dans la rue, le 29 mars, à Québec, d'un homme qui ne pouvait pas fournir sur-le-champ son certificat d'exemption du service militaire, la révolte des témoins se répandit comme une traînée de poudre et des émeutes éclatèrent qui durèrent jusqu'au 2 avril. La police fit appel à l'armée, un bataillon canadien-anglais basé à Toronto fut dépêché à Québec, la loi martiale appliquée. Dans la soirée du 1er avril, les soldats tirèrent sur la foule désarmée, firent cinq morts et des dizaines de blessés, en plus d'emprisonner sans mandat et sans cautionnement de très nombreux citoyens. L'État, une fois de plus, tentait de mater par la force la résistance du peuple conquis à ses politiques impérialistes.

1970

Les événements immédiats et officiels qui ont déclenché la Crise d'octobre remontent longuement mais directement à la naissance, à la fin des années cinquante, du mouvement indépendantiste contemporain. C'est un mouvement révolutionnaire qui, à l'instar de mouvements similaires à l'œuvre partout dans le monde, depuis la fin de la Seconde Guerre mondiale, appelle le peuple à lutter contre toutes les formes d'assujettissement : domination politique, exploitation économique, oppression sociale et culturelle. Les forces indépendantistes québécoises d'alors conçoivent l'indépendance non seulement comme une lutte politique ayant pour objectif essentiel la création d'un État souverain, mais aussi comme un projet de libération nationale, c'est-à-dire une remise en question globale du système colonial canadien et une prise en main par le peuple de tous les instruments de son développement collectif. La réalisation d'un tel projet nécessite la formation d'une véritable conscience nationale, plutôt que nationaliste, qui amène la nation conquise puis annexée à affirmer et à défendre tous les attributs de son identité, dont son droit inaliénable à l'autodétermination, de même qu'à croire en sa capacité de l'assumer.

Les enjeux du combat s'avèrent ainsi colossaux. En effet, l'indépendance du Québec, en tant que préalable indispensable à une véritable libération nationale, menace objectivement les intérêts capitalistes de la grande bourgeoisie canadienne, dont l'État canadien est non seulement le représentant mais, plus fondamentalement, le noyau institutionnel et le soutien inconditionnel[3]. Il s'agit donc en premier lieu de fissurer ce noyau. Toutes les organisations qui composent le mouvement indépendantiste poursuivent cet objectif. Malgré la diversité des discours qu'elles tiennent et des stratégies qu'elles adoptent, inspirées par des idéologies et des intérêts sociaux plus ou moins différents, elles s'attaquent donc avec une même détermination aux institutions, aux symboles et aux entreprises de cette classe dominante qui possède alors la presque totalité des ressources naturelles, financières et industrielles du Québec et en contrôle ainsi le développement économique et l'organisation politique, en plus d'imposer à la main-d'œuvre québécoise sa langue et ses conditions de travail. Engagés dans une lutte à finir contre le colonialisme et ses séquelles, les mouvements et partis engagés dans la lutte pour l'indépendance basent leur action sur la nécessité de politiser et de mobiliser le peuple, conscients que sa détermination constitue la seule force susceptible de renverser les pouvoirs établis. Tous sont animés par ce même souci démocratique, y compris le FLQ. Seul, cependant, celui-ci agira dans la clandestinité et aura recours à des actions violentes (si l'on excepte la dizaine de membres de l'ALQ et de l'ARQ dont l'existence sera de courte durée et dont les actions d'éclat seront confondues dans l'opinion publique avec celles du FLQ), tous les autres n'auront toujours recours qu'à des moyens légaux, bien que non conventionnels, pour convaincre les Québécois de la nécessité de l'indépendance et de l'urgence de la réaliser.

De plus, jusqu'à la création du Mouvement souveraineté-association (MSA), jamais ces mouvements ne tenteront d'occulter l'ampleur et la difficulté de la tâche à accomplir en diluant l'objectif de liberté dans celui d'égalité, en diluant la revendication d'une autodétermination pleine et entière à celle d'un partage de la souveraineté du Québec avec l'État canadien dominant et ennemi.

Pourtant, en 1970, deux ans après la fondation du Parti québécois, issu du MSA, et l'ascendant hégémonique qu'il exerce sur le mouvement indépendantiste qu'il finira par réduire à la marginalité, les bourgeoisies canadienne et québécoise au pouvoir à Ottawa et à Québec et dont les intérêts sont intégrés, s'opposeront aussi farouchement au compromis de René Lévesque, visant le réaménagement de la Constitution qui accorderait à l'État québécois un pouvoir politique égal à celui de l'État canadien, qu'à l'objectif de l'indépendance du Québec. Elles jugent irrecevable cette proposition de partage de leurs lieux de pouvoir et de décision, même si le projet ne remet aucunement en question les tenants et les aboutissants du développement global du capitalisme nord-américain. Et ces puissantes bourgeoisies ont peur. Malgré tous les moyens qu'elles ont mis en œuvre pour manipuler l'élection du 29 avril, les résultats se sont révélés plus importants que prévus et lui font craindre que le Parti québécois puisse prendre le pouvoir dès l'élection suivante. Ainsi averties et affolées, elles somment leurs gouvernements et leurs médias d'utiliser toutes leurs ressources pour empêcher cette éventualité de devenir réalité, les enjoignant de ne reculer devant aucun moyen. Elles se sentent d'autant plus menacées que l'agitation ouvrière ne cesse de prendre de l'ampleur partout au Québec, agitation soutenue par plusieurs groupes et groupuscules indépendantistes et socialistes, et par le FLQ, d'une part. D'autre part, un parti progressiste qui épouse la plupart des revendications populaires de tous ces mouvements voit le jour au début de l'été, à Montréal. Le Front d'action politique (FRAP) a pour objectif de mener la lutte, au moment des élections prévues pour le 25 octobre, à l'administration de Jean Drapeau — et de son bras droit Lucien Saulnier — sur la scène municipale montréalaise.

C'est dans ce contexte que les partis au pouvoir, particulièrement le Parti libéral du Canada par la voix de son chef, Pierre Elliott Trudeau, ennemi juré du nationalisme québécois, *a fortiori* de l'indépendantisme, opposant farouche à toutes les revendications nationales du peuple québécois exigeant des pouvoirs accrus pour le Québec, entreprirent de discréditer le Parti québécois en associant souverainisme et terrorisme. Il s'agissait, comme les en a accusé René Lévesque, «de condamner le Québec à l'impuissance». La mise en vigueur de la *Loi sur les mesures de guerre* en octobre 1970 n'avait pas d'autre but.

En 1970, comme aujourd'hui, comme jadis et naguère, le Canada anglais refuse l'existence nationale du peuple québécois et, aujourd'hui comme autrefois, il est prêt à utiliser tous les moyens pour le réduire à néant ou, tout au moins, l'empêcher de nuire au développement de ses intérêts nationaux. Il est le peuple conquérant qui trouve justifié sa domination sur le peuple conquis, qui trouve justifié de déployer son armée contre lui, chaque fois qu'il a l'impudence de s'affirmer. En 1970, pour préserver l'intégrité de son pouvoir mal acquis et mal conservé, bien que le rapport des forces en présence ne l'exigeait pas, il a sauté sur l'occasion que lui offrait le FLQ pour écraser la démarche éminemment légitime et démocratique et l'action politique légale du Parti québécois, représentant alors à ses yeux la menace indépendantiste.

Car, il est important de le souligner, les moyens de lutte employés par les forces indépendantistes importent peu à l'ennemi, seule compte à ses yeux leur efficacité réelle ou appréhendée. Et le terrorisme d'État fait partie des armes à sa disposition pour la contrer.

Tant qu'en grande majorité nous n'aurons pas une conscience aiguë d'être en guerre et tant que nous ne serons pas réellement déterminés à vaincre l'ennemi, nous serons victimes de ses coups de force et de ses actes de terrorisme. Il faut espérer que nous développerons ces qualités avant qu'il ne soit trop tard, afin que les luttes de nos parents et aïeux pour la reconnaissance de nos droits et pour notre souveraineté n'aient pas été menées en vain.

L'Action nationale, vol. 90, n° 8, octobre 2000, p. 67-79.

1. Pour écrire cet article, je me suis toutefois principalement référée à l'ouvrage de Louis Fournier, *FLQ, histoire d'un mouvement clandestin,* réédité en 1998 par Lanctôt éditeur, et, pour l'histoire générale, aux ouvrages suivants: Robert Lahaise et Noël Vallerand, *La Nouvelle-France, 1524-1760,* Outremont, Lanctôt éditeur, 1999; des mêmes auteurs, *Le Québec sous le régime anglais (1760-1867),* Outremont, Lanctôt éditeur, 1999; Kaye Holloway, *Le Canada, pourquoi l'impasse?,* Montréal, Nouvelle Optique, 1984.

2. *Bulletin des recherches historiques*, vol. III, p. 64, cité dans une monographie consacrée à l'histoire de Saint-Michel-de-Bellechasse.

3. Voir à ce sujet l'ouvrage de l'historien Stanley-Bréhaut Ryerson, *Le capitalisme et la confédération*, Montréal, Parti pris, 1972.

Le pouvoir détonnant de la pensée et de l'action d'André d'Allemagne

Le 1er février 2001, André d'Allemagne, le fondateur et l'idéologue
du Rassemblement pour l'indépendance nationale (RIN), meurt.
Andrée Ferretti lui rend ici hommage.

En cinq ans de militantisme quotidien au Rassemblement pour l'indépendance nationale (RIN), je n'ai eu, au cours de l'existence du mouvement puis du parti, que deux ou trois fois la chance d'avoir une rencontre personnelle avec André d'Allemagne et, beaucoup plus tard dans les années quatre-vingt, celle d'être reçue chez lui, un midi, pour un repas intime et, quelques mois plus tard, de le recevoir chez moi pour une partie de chasse au petit gibier.

Je ne peux ainsi prétendre avoir eu avec lui une relation amicale qui me permettrait d'ajouter à la connaissance de l'homme qu'il fut comme personne privée, d'autant moins qu'il était discret, qu'il avait *la pudeur de ses sentiments et la modestie de sa profonde culture*, comme l'a souligné Jean-Marc Léger dans son hommage paru dans le journal *Le Devoir*[1].

Je n'ai donc aucune anecdote à raconter qui témoignerait à sa manière des qualités évidentes et reconnues d'André d'Allemagne, si ce n'est pour dire que lorsque nous arrivions chez les gens qui nous recevaient pour une « assemblée de salon », comme on appelait alors ces réunions de cinq à quinze personnes invitées par un membre du RIN pour entendre parler de l'indépendance, j'avais chaque fois l'impression d'accompagner un prince, tant l'accueil qu'on lui réservait était profondément déférent et à la fois simple et chaleureux. Nos hôtes savaient que leurs invités, même les plus farouchement opposés à notre projet de libération nationale, sauraient apprécier le style et la parole de cet homme de conviction venu leur parler d'eux-mêmes, de l'histoire de leur peuple, de la possibilité d'un autre avenir dans un pays à faire naître et de leur rôle à chacun dans cette naissance. Et c'est ce qui se passait infailliblement. Pas une seule personne, sur les centaines ainsi rencontrées au cours de nos années communes de militantisme, qui n'a été conquise par l'intelligence et la courtoisie de ce militant, qui jamais ne cherchait à les convaincre autrement que par l'exposé sobre et documenté des causes proches et lointaines de notre dépossession, de notre aliénation et des raisons fondamentales qui rendent nécessaire l'avènement de l'indépendance nationale. Je peux témoigner que cette manière passionnée et tout autant sereine d'André d'Allemagne de communiquer son savoir et son espoir a toujours profondément touché ses auditeurs, qu'ils aient été intellectuels, ouvriers, artistes, vieux, jeunes, hommes ou femmes. Je pouvais l'amener partout avec confiance, sûre que sa pensée et sa façon de la proposer feraient leur œuvre, c'est-à-dire de libérer l'aspiration présente en chacun, mais refoulée plus ou moins profondément, à la fière affirmation de leur identité nationale.

Et elles le faisaient.

Je ne parlerai donc, ici, que des effets libérateurs de l'œuvre d'André d'Allemagne. J'en parlerai avec toute l'estime et l'admiration qu'elle m'inspire, bien que je me sois parfois opposée aux conceptions et prises de position de son auteur, toutes relatives à des questions d'ordre stratégique et tactique.

LA CRÉATION CONTINUE D'UN PROCESSUS DE VIE

Les luttes des peuples pour leur indépendance nationale sont des processus vitaux, pensait André d'Allemagne, parce qu'elles naissent dans l'histoire de la nécessité, pour exister et pour croître, de se libérer du joug des forces oppressives. C'est ainsi qu'il concevait la lutte de la nation canadienne-française et du peuple québécois comme une lutte de libération nationale qui culminerait dans l'indépendance politique. Il s'employait ainsi à toujours établir la relation fondamentale entre la possibilité d'une pleine affirmation de l'identité nationale et la nécessité d'une pleine maîtrise des pouvoirs d'un État indépendant. Il considérait la lutte pour l'indépendance non seulement comme la manifestation du rejet de l'ordre constitutionnel canadien comme système de domination et d'exploitation du pouvoir colonial, mais comme la création d'un nouveau processus de vie.

Il savait que cette création ne peut s'inscrire que dans le besoin vital qu'éprouve chaque peuple de trouver ou de retrouver son identité quand il en a été dépouillé. Mais encore faut-il qu'il l'éprouve. Or le premier effet d'un système de domination et d'exploitation est d'aliéner le peuple dominé et exploité, de le rendre étranger à lui-même, si bien qu'il peut-être dominé et exploité sans se sentir opprimé. L'histoire montre que ce sont souvent les plus opprimés qui ne se révoltent pas, qui s'opposent même à ceux qui l'osent.

Pour oser vouloir renverser l'ordre colonial établi, le peuple québécois doit d'abord oser être lui-même, oser se poser comme sujet de sa propre histoire, oser se prendre lui-même comme maître de son destin. Et pour y parvenir, il doit connaître les causes de son aliénation, et même, au préalable, vouloir les connaître. D'où l'importance du rôle d'André d'Allemagne dans l'histoire contemporaine du mouvement indépendantiste québécois. Non seulement il a été, dès la fin des années cinquante, avec Raymond Barbeau, Marcel Chaput, Raoul Roy et quelques autres, un pionnier de la décolonisation, mais il en a été le ferment le plus patient et le plus démocrate, conscient et convaincu que l'avènement de l'indépendance ne peut être que le résultat d'un engagement éclairé, volontaire et déterminé du peuple.

PENSER, AGIR ET FAIRE AGIR

Il a été le théoricien le plus cohérent des causes et des conséquences de notre aliénation nationale. Dans tous ses discours comme dans ses ouvrages savants, il s'employait essentiellement à démontrer les effets aliénants du colonialisme tel qu'il s'exerce sur la nation canadienne-française depuis la conquête anglaise, en démontant un à un tous ses mécanismes d'assujettissement, tous les rouages de notre dépendance politique, de notre exploitation économique et sociale. Et de notre oppression culturelle. André d'Allemagne savait que dès lors qu'un seul aspect de la domination est nié, c'est l'ensemble de la domination qui est intériorisé comme normal ou fatal, d'où la nécessité d'un renversement révolutionnaire de la situation. Son discours rompait ainsi radicalement avec le traditionnel discours de la survivance et contribuait à faire naître dans le peuple la conscience de son existence nationale et des droits d'indépendance et de liberté qui y sont afférents.

Mais André d'Allemagne, en plus d'être un intellectuel de grande envergure, était aussi un homme d'action, un ardent militant. Je l'ai vu à l'œuvre non seulement dans nos assemblées de salon, nos réunions de comté, nos congrès régionaux et nationaux, mais aussi dans nos assemblées publiques, nos *sit-in* et nos manifestations dans les rues. Toujours, moi si emportée, il m'impressionnait par sa calme détermination.

C'est à l'occasion d'une de nos rares et brèves rencontres personnelles qu'il m'a entretenue de sa conception de l'unité indispensable de la pensée et de l'action dans toute lutte transformatrice. Cette lutte, disait-il, est non seulement le résultat du discours qui l'enclenche, mais celui de l'action qui est souvent à elle-même son propre discours, c'est-à-dire qu'elle fait surgir d'elle-même les réponses aux questions qu'elle soulève et vient ainsi à son tour enrichir la pensée.

C'est sans doute cette nécessité qu'il avait de joindre l'action à la pensée qui a amené André d'Allemagne à fonder le Rassemblement pour l'indépendance nationale, la seule organisation véritablement indépendantiste à avoir mené pendant les huit ans de son existence une lutte de libération conséquente.

Le plus bel hommage que nous pourrions rendre à ce grand patriote, qui a su rendre l'indépendance désirable à des milliers de Québécois et de Québécoises, serait de reprendre cette lutte en l'axant à nouveau sur l'éducation politique du peuple et sur sa mobilisation, en lui proposant un projet global de société, susceptible de le rendre vraiment maître de ses destinées.

L'Action nationale, vol. 91, n° 3, mars 2001, p. 46-50.
1. Jean-Marc Léger, « Le combattant et le gentilhomme » (courrier des lecteurs), *Le Devoir*, 9 février 2001, p. A6.

Écrire contre la domination

En 1993, les Éditions de l'Hexagone célébraient leur 40ᵉ anniversaire
de fondation. Pour l'occasion, une table ronde sur *La langue française
et la littérature* était organisée, le 26 octobre, avec Gaston Miron,
Pierre Perrault, Gérald Godin et Jean Royer, au café *Les Gâteries*.
Pour introduire le débat, Andrée Ferretti tente de répondre à la question :
« Dans quelle langue écrivent les écrivains ? » Longtemps demeuré inédit,
ce texte a récemment paru dans la revue *Combats*.

En quelle langue écrivent les écrivains ? Posée dans le cadre d'une
réflexion sur la langue française au Québec et la littérature, la question m'est d'abord apparue d'ordre politique, étant entendu pour
moi que toute expression culturelle s'enracine dans la vie réelle
d'une société donnée, façonnée par son histoire particulière. La
question m'est donc apparue vaste et complexe, comme l'est l'histoire du peuple québécois. Pour y répondre adéquatement, j'aurais
dû m'engager dans de longues recherches que je n'avais ni le désir
d'entreprendre, ni le temps de mener à terme.

J'ai donc décidé d'aborder autrement la question. L'heure fati-
dique de la rencontre approchant à grand pas, sous la pression de
l'angoisse, l'idée m'est alors venue, fulgurante, qu'en fin de compte
la question était essentiellement d'ordre littéraire. Qu'au Québec
comme ailleurs, la littérature n'est un problème de langue que dans
la mesure où celle-ci est l'outil du langage de l'écrivain. Mais faut-
il d'abord qu'il ait un langage, autrement dit qu'il ait quelque chose
d'unique à dire. Sous-jacent à tous les autres problèmes de la littérature, il y a donc celui du langage, c'est-à-dire de l'expression créatrice d'un rapport entre l'intériorité irréductible de l'écrivain et du
monde qui l'entoure, avec ses événements et ses circonstances.

Or la moindre connaissance de l'histoire des littératures nous
montre que ce rapport s'établit toujours au cœur d'une lutte contre
une forme ou une autre de la domination.

À ce moment de ma réflexion, je me suis souvenu de ce que
Italo Calvino a écrit dans *Leçons américaines*, à savoir précisément

que la littérature ne peut vivre que si on lui assigne des objectifs démesurés, voire impossible à atteindre. Il faut, dit-il encore, que l'écrivain se lance dans des entreprises que nul autre que lui ne saurait imaginer, si l'on veut que la littérature s'acquitte de sa fonction qui a toujours été — et demeure plus nécessaire que jamais dans nos sociétés à la fois si atomisées et en voie d'uniformisation — d'élaborer des visions du monde qui nous le révèlent dans son infinie complexité, afin que les hommes et les femmes puissent échapper aux visées simplistes et tyranniques de tous ceux et celles qui exercent un pouvoir usurpateur ou qui y aspirent.

Évidemment, ce langage libérateur que peut opposer l'écrivain à toutes les figures de la mort — toute domination est meurtrière —, c'est dans la langue qu'il se constitue, puisqu'il n'est de véritable œuvre littéraire qui n'ait d'abord répondu à l'exigence du débat inéluctable avec la langue.

Pour moi, faire œuvre littéraire — ce qui n'a rien à voir avec écrire des livres —, c'est pouvoir maîtriser suffisamment une langue pour lui faire exercer sa puissance infinie de création comme son implacable pouvoir de déstabilisation. Pour faire œuvre littéraire, il faut donc se battre avec une langue pour s'emparer de son vocabulaire, de sa grammaire, de sa syntaxe, puisque chaque mot, chaque règle, par rayonnement, donne dans cette langue tout le langage possible.

Au Québec, la littérature se débat avec la langue française, qu'elle soit de Paris, de Montréal ou de Gaspé. Mais au Québec comme ailleurs, elle est l'œuvre d'écrivains qui écrivent avec art, c'est-à-dire qui insèrent de la pensée et de l'émotion dans le réel dans une langue adéquate à cette insertion particulière. Il existe évidemment, et peut-être même nécessairement dans toute littérature, des livres écrits sans art qui, au contraire, figent le réel dans l'étau des idées et des sentiments. Ce sont des produits qui ne dureront que le temps d'une mode et ce n'est pas à eux que je me réfère pour tenter de répondre à la question qui nous est posée.

J'en arrive donc à la plus banale vérité de La Palice : l'œuvre littéraire est une œuvre d'art ou n'est pas. [...] Est-il possible au Québec de faire œuvre d'art, c'est-à-dire œuvre qui lutte contre la domination, en insérant de la pensée et de l'émotion dans le réel, sans consciemment ou inconsciemment tenir compte des effets corrosifs de notre aliénation nationale, en ce qu'elle nous oblige à devoir toujours gagner la légitimité de notre existence et de notre présence au monde?

Par exemple, comment un jeune écrivain québécois ayant été témoin de la guerre en Bosnie pourrait-il faire œuvre littéraire à partir de cette expérience? Comment pourrait-il exprimer de manière créatrice — et non seulement raconter une histoire ou faire part de ses idées — le rapport entre l'intériorité irréductible de son être, nécessairement façonnée par son identité québécoise, et la situation vécue? Cette question est ma réponse à celle posée par le débat.

Combats, vol. 5, n°s 1-2, printemps-été 2001, p. 4.

En guise de conclusion

Andrée Ferretti est entrée en politique comme on entre en religion. Cette femme passionnée a toujours suivi son instinct et ce que sa conscience lui dictait de faire.

Née à Montréal, le 6 février 1935, Andrée Bertrand épouse à l'âge de vingt-deux ans un immigrant d'origine italienne, fondateur de L'Agence du livre français, premier distributeur en Amérique du Nord des éditions Maspero et de la revue *Parti pris*. Alors que la première bombe du FLQ explose, en 1963, elle devient membre du Rassemblement pour l'indépendance nationale (RIN). Elle distribue le journal *L'Indépendance*, organise des assemblées de cuisine, recueille des fonds, bref, elle milite très activement tout en élevant sa famille.

Parallèlement à ses activités pour le RIN, elle devient membre du Mouvement de libération populaire, issu de la revue *Parti pris*. C'est à cette occasion qu'elle publie ses premiers textes. En 1967, elle devient vice-présidente du RIN. Le tumulte idéologique de l'époque et ses nombreux différends avec Pierre Bourgault — notamment sur la fusion du RIN avec le MSA de René Lévesque — amènent sa démission fracassante du RIN, en mars 1968. Elle fonde avec un groupe de dissidents le Front de libération populaire.

Pendant la Crise d'octobre 1970, elle est arrêtée en pleine nuit, parce qu'elle appartient au même groupe politique que le felquiste Charles Gagnon, Les partisans du Québec libre (sans lien avec le FLQ). Elle est emprisonnée pendant 51 jours — dont 21 sans contact extérieur et dans un isolement complet — pour appartenance supposée au FLQ.

En 1972, elle s'emploie — à l'initiative de Michel Chartrand — à la formation politique des travailleurs du Conseil central de Montréal de la CSN. En 1973, c'est Louise Harel qui la sollicite pour organiser la campagne électorale du Parti québécois dans Montréal-Centre.

Le 10 novembre 1979, la Société Saint-Jean-Baptiste de Montréal reconnaît son apport et lui décerne le titre de Patriote de l'année. Pendant la campagne référendaire de 1980, elle milite activement pour le OUI au sein de la Société Saint-Jean-Baptiste de Montréal. Elle fait la tournée des cégeps et des centres d'hébergement pour les personnes âgées.

Préoccupée par l'analyse des projets progressistes de transformation de la société, elle s'inscrit en philosophie à l'Université du Québec à Montréal. Également, elle enseigne à l'École nationale de théâtre où, à travers ses cours, elle tente de sensibiliser les étudiants aux réalités sociales, politiques et culturelles du XXe siècle.

Dans les années quatre-vingt, elle commence à écrire de la fiction et, à l'âge de 51 ans, elle publie son premier roman, *Renaissance en Paganie*. Elle poursuit cependant son activité d'essayiste et ses textes paraissent notamment dans les quotidiens *Le Devoir* et *La Presse*.

En 1996, elle publie *Le Parti québécois : Pour ou contre l'indépendance?*, un virulent pamphlet — dans lequel elle rend hommage à Jacques Parizeau — pour marquer son opposition à la politique d'éteignoir de Lucien Bouchard en ce qui a trait à la promotion de la souveraineté. « Qui ne fait pas l'indépendance la combat ! » y affirme Andrée Ferretti qui entendait ainsi souligner qu'elle est toujours demeurée fidèle à l'affirmation bien connue de son premier patron, le libraire Gaston Miron.

Andrée Ferretti vit maintenant à la campagne. Elle dirige les Encyclopédies populaires, une entreprise de distribution d'ouvrages de référence fondée par son défunt mari. Elle poursuit son activité de romancière et — bien entendu — le combat pour l'indépendance du Québec.

MICHEL MARTIN

Table

CET OUVRAGE
COMPOSÉ EN ADOBE GARAMOND CORPS 11,5 SUR 14
A ÉTÉ ACHEVÉ D'IMPRIMER
LE QUINZE FÉVRIER DE L'AN DEUX MILLE DEUX
PAR LES TRAVAILLEURS ET TRAVAILLEUSES
DES PRESSES DE AGMV-MARQUIS
À CAP-SAINT-IGNACE
POUR LE COMPTE DE
LANCTÔT ÉDITEUR.

IMPRIMÉ AU QUÉBEC (CANADA)